JN044427

Fill
Your Heart
With Light

前川隆一

一粒社

推薦のことば

淀川キリスト教病院前理事長　柏木哲夫

この度、敬愛する前川隆一先生が『心に光を　2』を上梓されました。読ませていただき、この書の特徴が三つあると思いました。わかりやすさ、具体性、奥の深さ、です。

わかりやすさ　書物が持っている特徴で、最も大切なのは「読んでわかる」ことだと思います。読む人の学識や教養にもよりますが、専門書でない限り、いわゆる「普通の人」が「読んでわからない」書物は困ります。「わかりにくい」書物も疲れます。本書の「わかりやすさ」は何物にも代え難い素晴らしい特徴だと思います。

具体性　具体的な出来事、経験、出会い、などを基にして書かれているのも本書の特徴だと思います。特に著者が出会った人々との、具体的な出会いから得られた具体的な洞察は、読む人のこころに響きます。

奥の深さ　「わかりやすさ」と「具体性」を兼ね備えた書物は、多く出版されています。

読者が求めるのはそれだけではありません。具体的で、わかりやすい書物から得られることもありますが、読者が求めるのは、読んでよかったと心に残る読後感ではないでしょうか。それは、本の内容が持つ「奥の深さ」から来るものだと思います。

本書の「奥の深さ」は、どこから来るのでしょうか。それは具体的でわかりやすい、様々なエピソードが聖書と結びつけられている、ということから来るのだと思います。表面的には変哲もないエピソードに、聖書的な見方をすれば、深い意味があることがわかります。一見つらく、悲しい出来事が、聖書的に見れば、その人の大きな成長につながる事もあります。

聖書の教えが、本書の題名にも表されているように、「心に光を」あてるものであることを本書は丁寧に教えてくれます。すでに洗礼を受けておられるクリスチャンの方にも、キリスト教に関心を持っておられる求道者の方にも読んでいただきたい好著として推薦いたします。

二〇一八年一〇月

もくじ

推薦のことば　　淀川キリスト教病院前理事長　柏木哲夫

心に光を　2

心に光を――牧会日誌

藤井理恵さん――その一

淀川キリスト教病院のチャプレンである藤井理恵さんが、出演しておられるNHKのTV番組「心の時代」を観ました。藤井さんは、ホスピスにおいて、死にゆく人々に寄り添いながら、イエス・キリストにある希望を語り続けて二六年になられるとのことでした。

その番組を観ての藤井さんに対する第一の印象は、「自然体」ということでした。気負わず、それでいて、臆せず、すっと人の心に寄り添って行かれるそのお姿に、ほんとうに教えられるものがありました。

藤井さんの体験談を聞いて、アナウンサーが、「どうして、宗教にそんな力があると思われますか?」との質問をしたとき、藤井さんは、「人間同士の横の関係の中で、慰めを得たり、解決を見出したりということを、日常生活の中で経験すると思うんです。けれども、そのような横の関係の中では解決を見出すことができない現実というものもあると思うんです。そんなときに、横の関係を越えた、縦の関係による解決、希望を与えてくれる、それが宗教であり、信仰であると思うんです」とおっしゃっていました。藤井さんの自然体、それは第一に、藤井さんご自身が、そのような縦の関係、神様とのいのちの関係に結ばれておられるところから来る、自然体であると思いました。

また、こんなこともお話ししておられました。「チャプレンになりたてのころ、一生懸命でしたが、患者さんを支えてあげたいという思いが先走っていました。最初にかかわった患者さんは、そんなわたしのことを『あなたは、わたしの支えです』と言ってくださいました。でも、その患者さんが召された後、ぽっかり心に穴が開いたような状態になってしまいました。そのとき、理解したことがありました。それは、わたしがその患者さんを支えてあげていたのと同時に、その患者さんによってわたしが支えられていたのだということを……」

藤井さんの自然体、それは、第二に、一方的に上から下にということではなく、お互いに支え合っている、お互いがお互いを必要としているという「双方向」ということを自覚したところから来る自然体である、と思いました。

（二〇一七・三・一一）

藤井理恵さん――その二

藤井理恵さんが出演しておられるNHKの「心の時代」という番組の中で、藤井さんが「手放す」ということについて、お話しておられる場面がありました。アナウンサーが「藤井さんご自身は、手放しておられますか?」との質問に対して、藤井さんは、こう答えられました。

「最初にかかわった患者さんを通して、そんなに気負わなくてもいい。手放したらいい。明け渡したらいい、ということを学びました。でも、それで完全に手放せるようになったかと言うと、そうではなく、今も戦いの日々です」と。

また、こんなこともおっしゃっていました。

「わたしがあなたを支えてあげますと気負って近づいて行くなら、人は離れて行きます。逆に、十分に支えることも寄り添うこともできない者ですけれど、そばに居させてくださいという思いでいると、相手の心が近づいて来る。そんな逆説があると思うんです」

最後に、藤井さんがたいせつにしておられるマザー・テレサのことばを紹介してくださいました。それは、「自分からの解放」という題の詩でした。

主よ、わたしは思い込んでいました、わたしの心に愛が満ちていると。
でも、心に手を当ててみて、気づかされました。
わたしが愛していたのは他人ではなく、他人の中の自分を愛していた事実に。
主よ、わたしが自分自身から、解放されますように。
主よ、わたしは思い込んでいました、私は何でも与えていたと。
でも、胸に手を当ててみて、わかったのです。わたしの方こそ与えられていたのだと。
主よ、わたしが自分自身から、解放されますように。

わたしたちも、縦の関係、神様とのいのちの関係を通して、お互いがお互いを必要としているという「双方向」ということを自覚することを通して、神様に明け渡し、明け渡し続けて行くことを通して、自然体で、人々に寄り添い、仕え、あかしして行く者とならせていただきたいと思います。

（二〇一七・三・一一）

両面

先日の礼拝で、イエス様が、宗教的指導者たちに対しては、「失われたものを捜して救うために来られた」ということを、同時に弟子たちに対しては、「この世の子らより、賢くあらねばならない」ということを教えられた、ということを学びました。聖書を学んで行くと、そのような両面が教えられていることが多いことに気づきます。

＊

たとえば、先日「祈り会」で、詩編の一一九編を学んでいたときのこと、その一三一節では、「わたしは口を大きく開き、渇望しています。あなたの戒めを慕い求めます」（新共同訳）とあります。

また一四三節では、「苦難と苦悩がわたしにふりかかっていますが、あなたの戒めはわたしの楽しみです」とありました。

「わたしは口を大きく開き、渇望しています」は、ひな鳥が大きく口を開けて、親鳥からえさをもらおうとする姿が目に浮かぶようです。

そのような神様に願い求める率直さということがうたわれている。とともに、詩編の作者は「苦難と苦悩がわたしにふりかかっていますが　あなたの戒めはわたしの楽しみです」と言っています。

「あなたの戒めはわたしの楽しみです」とは、なんとも不思議な表現です。この詩編一一九編自体が「いろはうた」であると言われます。人生の様々な苦難、苦悩といったことを語りながら、「遊び」があるのです。

「遊びごころ」がある、それが詩編一一九編の特徴です。そのような神様に対する率直さとともに、「遊びごごろ」を養って行く、それは、信仰生活にとって、また、人生にとってたいせつです。

むかしから、「押してもだめなら、引いてみな」と言います。

神様の恵みに対する信頼とともに、人生を生きる賢さ、神様に願い求める率直さとともに、遊びごころ、その両面を養って行くことがたいせつです。

（二〇一七・四・八）

神とともに

二〇一〇年、チリのサンホセ鉱山であった落盤事故の事を、覚えておられる方も多いと思います。まったく絶望かと思われましたが、事故が起こって一七日目、地下七〇〇メートルのところに取り残された三三人全員が無事、救助を待っている、ということが分かりました。

わずか三日分の食料を、彼らは少しずつ、少しずつ分け合って、食いつないでいたのでした。それから、世界中から、レスキュー隊がやって来て、本格的な救助の作業が始まって行きました。

もちろんのこと、食料や衣類は、届けられましたが、実際に人を安全に引き上げることができるトンネルを掘って、一人乗りのカプセルによって、全員が救出されるまで、なんと六九日の日数がかかりました。

最後の三三人目、現場の責任を任せられていた男性がカプセルに乗り込もうとするその前に、もう一度、辺りを見回しました。そうすると、だれが書いたのか、ペンキで壁にこんなことばが書かれていました。

「三三人が、このところで、六九日を過ごす。神とともに」

神がともにいてくださる、ということを信じ、慰め合い、励まし合って、最終的に地下七〇〇メートルのところから全員が救出されたという、まさに奇跡のできごとでした。

今日「イースターの礼拝」ということで、わたしたちよりも先に天に召された方のご家族の方も、礼拝にお見えになっています。わたしたちよりも先に天に召されたお一人お一人、彼らもまた、「彼は、彼女は、生きた。神とともに」、そのような人生を歩まれたお一人お一人であると思います。

そして、わたしたちも、そのように歩むようにと招かれているのです。

（二〇一七・四・一六）

勝利者

最近、シンガーソングライターの小坂忠さんの「勝利者」という歌が、かつて「誰も知らない泣ける歌」というテレビ番組で紹介されたということを、知りました。「勝利者はいつでも傷つき悩みながら　それでも前に向かう」と歌われている歌です。

それは、一九八四年、第23回ロサンゼルス・オリンピック大会において、初の女子マラソンのレースが行われた時のこと。その開始後、二時間四〇分過ぎに、スイスのアンデルセン選手がゴールを目指して競技場に入って来ました。もうとっくに金、銀、銅メダルの選手は決まっています。

アンデルセン選手は、極度の脱水症状でふらふらになりながら、ゴールを目指していました。そのひたむきな姿に会場中の人々から歓声が沸き起こりました。そのアンデルセン選手の姿に、インスピレーションを与えられて小坂忠さんが作詞、作曲した歌、それがこの「勝利者」という歌でした。

ユーチューブで、その番組を観て、アンデルセン選手のその後のことを知りました。アンデルセン選手は、その後アメリカに渡り、現役のクロスカントリーの選手として活躍しておられるとのことでした。

その番組後、何年か経っていますので、現在のことは、くわしく分かりません。けれども、番組のスタッフが、アンデルセン選手に、あのオリンピックのときのアンデルセン選手の姿を通して、こんな歌が生まれたんですよ、と紹介をしたそうです。

すると、アンデルセン選手はたいへん驚き、「感動しました。私が特にすばらしいと思ったところは、『きみがつまずいたとき、きみを支えただれかがいた』というところです」と言われた、とのことでした。

「勝利者」とは、金、銀、銅メダルに輝いた選手だとふつう思います。けれども、「傷つき悩みながら、それでも前に向かう」、それこそが勝利者であるとは、逆転の発想です。わたしたちは、この世にあって、傷つきます。悩みます。それでも前に向かって、神様のみこころに歩む者と、イエス様がしてくださるのです。

（二〇一七・五・七）

牧者なる神

「牧者なる神よ」（創世記四八・一五）と祈ったヤコブの生涯、それはまさに牧者なる神様に導かれた生涯でした。兄エサウの長子の権を奪い取ったために、エサウの怒りを買い、ヤコブは伯父ラバンのもとへ逃れなければなりませんでした。

ラバンのもとでヤコブは、兄エサウを騙したことのしっぺ返しのように、伯父ラバンに騙され、一四年間も働かされます。けれども、その間に家族を与えられ、ついに大家族で故郷に帰って来ます。

故郷に帰って来て、めでたしめでたしかと思いきや、末息子のヨセフを偏愛したためにヨセフの兄たちがそれを妬み、ヨセフを奴隷として売り飛ばしてしまいます。父ヤコブは、ヨセフが野獣に食い殺されたと聞かされ、ヨセフが死んでしまったと思い込み、奈落の底に突き落とされるような経験をします。

ところが、何年も経って、ヨセフが生きていると聞かされ、しかもエジプトの総理大臣になって、自分たち家族を迎えようとしてくれているというのです。これを聞いたヤコブは、夢を見ているような思いになりました。

そして、今、ヨセフから請われて、ヨセフの二人の息子を祝福しようとしたときに、ヤコブの口をついて出たことば、それが先ほどのことばでした。

ヤコブのこのことばを聞いて、その場にいたヨセフも「アーメン」と応答したに違いありません。先週開いた「使徒書」の最初には、「不当な苦しみを受けることになっても、神がそうお望みだとわきまえて苦痛を耐えるなら、それは御心に適うことなのです」（Ⅰペトロ二・一九）とありました。

「不当な苦しみ」ということで言えば、ヤコブより、ヨセフの方が不当な苦しみを受けた人でした。聖書には書かれていませんが、ヨセフは、そのような苦しみの中で、主に訴え、受け留めていただいて、主のみこころに歩むことができたのでした（Ⅰペトロ二・二四〜二五）。

「牧者なる神よ」このヤコブの告白に、わたしたちも「アーメン」と言ってお従いする者とならせていただきたいと思います。


（二〇一七・五・一〇）

子どもの心の成長のために――その一

五月二〇日、大阪クリスチャンセンターで開かれ「CS教師研修会」に行って来ました。東京都立・小児総合医療センター副院長の田中哲先生が「子どもの心の成長のために」と題して、たいへん興味深いお話をしてくださいました。

たとえば、馬の赤ちゃんは産まれてすぐ立ち上がるのに対して、人間の赤ちゃんは、自分では何にもできない状態で生まれて来ます。だいたい、人間の赤ちゃんは、他の動物より約一年早く産まれると考えたらよいそうです。

では、その一年間で、赤ちゃんは何を身につけるのかというと「愛されていることへの信頼」「自分は生きて行く価値があるという確信」「生きて行くためには必要な枠組みがある」という三つのことを身につけて行く、とのことでした。

「愛されていることへの信頼」「自分は生きて行く価値があるという確信」、それを身につけて行くために、まずたいせつなことは、やはり親からたっぷり愛されることです。

おもしろいと思ったのは、生まれたばかりの赤ちゃんは、ある一定の距離まで近づかないと目の焦点が合わないそうです。それは、約三〇センチ。ちょうど、お母さんが赤ちゃんのことをじっと見守りながら、おっぱいをあげているときの距離です。

赤ちゃんは、お母さんからおっぱいをもらうと同時に、いっぱい愛情を受け取っているのです。と共に大切なこと、それは「安全なヨソ」体験をいっぱいすることだそうです。

家にやって来るお客さん、あるいは、親が連れて行ってくれるところで出会う大人は、自分のことを受け入れてくれる、安心して身を委ねることができる、という体験をいっぱいすることが、やがて社会へと羽ばたいていく原動力になって行くとのことでした。

そのように、子どもたちが安全なヨソ体験をするためのコミュニティが、昔はいくつかありましたが、現代は学校が独占してしまっている。その弊害ということに触れながら、教会がそのようなコミュニティの一つとなって行く可能性はないか、ということへとお話が移って行きました。

（二〇一七・五・二〇）

子どもの心の成長のために――その二

午後のお話は、午前中のお話の後、寄せられた質問に答えるかたちで始まりました。

Q 問題行動を繰り返す子どもに、どうかかわったらよいのでしょうか。

A 目標のはっきりしている子どもは、その目標に向かって歩み、プラスの評価を受けて、さらに目標に向かって行くことができます。でも、目標を見失ってしまった子どもは、親がいやがるような言動を繰り返すことによって気を引こうとします。目標を見失った子どもにとって、「どうして、そんなバカなことをするのか」というマイナスの反応であっても、ないよりはましだからです。そんな子どもに対してできることは、待つことだけです。そのように、わが子の問題行動に悩むお母さんに申し上げたら、「それだけですか……」と肩を落として帰ろうとされたことがありました。

そのとき、そのお母さんを引き留めて、こう申し上げました。待つというのは、小学生が、何かの植物の種を蒔いて、観察日記を書くようなものです。その種が芽を出すようにと、土を耕し、水をやり、日当たりをよくし、とできるだけのことをします。でも、芽を出す力は、種の中にあるのです。

できるだけのことをしたら、後は、待つしかないのです。でもちゃんと見ていないと、今日芽が出るか、明日芽が出るか、分からないのです。芽が出て、三日も経って、それに気づいても、それは観察日記にはならないのです。待つとは、できるだけのことをしたら、後は神様にお任せしながら、じっと見守るということです。

Q　クリスチャンホームで育つことの、プラスとマイナスは何でしょう。

A　プラスの面としては、「確かな人間観の中で育てられること」「無条件で受け入れられる教会というコミュニティの中で育てられること」、マイナスの面としては、「親が自分の人格をもってぶつかるべきときに、聖書では……とか、神様は……とかいうことばに逃げてしまうことにより、子どもにとって、父性、あるいは、母性が二重構造になってしまうこと」「聖書という回答があるがために、自分で悩むことがむずかしいこと」

多くのクリスチャン・ホームの子どもが一旦、教会から離れてしまうこと、それも、自分で悩むためには必要なことなのかもしれません。

（二〇一七・五・二〇）

手を握ってもらっていいですか

リフレッシュコースのチャペルの中で、北海道から参加された河野先生が説教をしてくださいました。その説教の中で、少し前に天に召されたクリスチャンの方のお証しをしてくださいました。

その方は、ご夫婦で学校の先生をしておられる方で、その奥様の方が癌で召されたとのことでした。その病床において、その方がご主人に向かって、「あなた、手を握ってもらっていいですか?」と言われることがありました。

そして、それが、最後のことばとなったそうです。そのことが、お葬式が終わって、斎場で骨上げを待つ間、話題になりました。

河野先生は、ふと、あの「手を握ってもらっていいですか」というのは、一つのサインだったのでは、ということに思いが至りました。実は、この天に召された奥様のご主人は、それまで一回も教会に来たことはありませんでした。

もちろん、奥様から教会のこと、聖書のこと、イエス様のことを何度も聞かされて来ました。でも教会に足を踏み入れたのは、奥様のお葬式のときが初めてでした。お葬式が終わって、遺族代表で、ご主人があいさつをされるとき、ご主人は、奥様に呼びかけるように「せっちゃん、あなたが言っていた通りだったね」とおっしゃったそうです。

讃美歌を歌い、聖書からの説教を聴き、多くの教会員の方々のあいさつを受ける中で、確かに、奥様はキリストを信じて、天に召されたのだという確信と感動に包まれる経験をなさったのでした。

もちろん、この方はご主人に向かって様々なかたちで証しをして来られたと思います。けれども、「手を握ってもらっていいですか」と手を差し出し、手と手を握り合ったとき、ご主人に伝わるものがあったのでした。

「しかし、恵みの賜物は罪とは比較になりません。一人の罪によって多くの人が死ぬことになったとすれば、なおさら、神の恵みと一人の人イエス・キリストの恵みの賜物とは、多くの人に豊かに注がれるのです」(ローマ五・一五)。

(二〇一七・六・三〇)

希望に生きる

柏木先生の『恵みの軌跡』（いのちのことば社）という本の中で、柏木先生が精神科医の駆け出しとして、お働きを始められた頃の、こんなお証しが載せられていました。Aさんという「緘黙症」の患者さんを受け持たれたときのお話です。

その方のカルテを見たとき、そこに「一年間、一言もしゃべらない」と記載されていました。

柏木先生ご自身も、いろいろな書物や文献に当たって、効果がありそうなことはすべて試してみましたが、効果はありませんでした。

半年経ったころ、医局にあったジャーナルを読んでいたときのことです。そこに、緘黙症の患者さんと生活をともにすると、長くかかるが言葉が出るようになる場合がある、ということが書かれていました。

柏木先生は、その記事を、その当時の上司である部長に見せ、それからというもの、普段詰め所でするカルテの記載、その他、あらゆる仕事、また自分の勉強や読書の本も持ち込んで、Ａさんの部屋ですることにしました。でも、Ａさんは、柏木先生の存在にはほとんど無関心という様子でした。

やがて先生は、一年間のその病院での勤務を終える日がやって来ました。柏木先生が、荷物をまとめて、タクシーで駅に向かおうとしていたときのことです。

玄関には、部長やナースや数人の患者さんが見送りに来てくれていました。ふと見ると、その人の群れのいちばん後ろに、Ａさんがいることに気がつきました。

柏木先生は、うれしくなって、Ａさんに手を振りました。すると、そのとき、Ａさんが一言、「ありがとう」と言ったのでした。

「わたしは、タクシーの中で駅まで泣き続けました。Ａさんは、その後、また一言もしゃべらなくなりました。そして、数年後、肺炎で亡くなったと聞きました。励ましたり支えたりすることよりも、寄りそうこと、そこに存在することがケアの基本である、と教えられたできごとでした」と、締めくくっておられます。

まさに、柏木先生が、キリストにあって、希望に生きられたお証しであると思いました。

（二〇一七・七・二）

万事が益となるように共に働く——その一

「神を愛する者たち、つまり、御計画に従って召された者たちには、万事が益となるように共に働くということを、わたしたちは知っています」（ローマ八・二八）。

このみことばは、「信仰生活、よいことも悪いこともある。でも、それらすべてのことを働かせて、最終的に神様が益としてくださる」という、そんな風に受け取っておられる方も多いと思います。

それは、それでまちがいではありませんが、今回、読み直すことを通して、新たな発見をしました。

それは、「共に働く」という、その主語がはっきり示されていないということです。ある注解者は、「これは、これまでの流れの中で見るならば、『万事が益となるように聖霊が共に働く』と読むことができる」と書いておられました。確かにそうだと思います。

さらに言うなら、「聖霊が共に働く」というとき、「神を愛する者たち」ということが言われています。すなわち、聖霊は、わたしたちを「神を愛する者としてくださる」そのことを通して、「万事が益となるように」してくださる、ということです。それは、そうです。「万事が益となった」と思える、それは、信仰によってです。聖霊は、わたしたちを、神を愛する者としてくださり、そのことを通して、「万事が益となった」、あるいは、神様は「万事を益としてくださる」と信じる者としてくださる、ということです。

旧約聖書に、ヨナという預言者が登場して来ます。ヨナは、神様から敵国である「ニネベに行って悔い改めを説け」と命じられた預言者でした。しかしヨナは、神様の御声に逆らい、ニネベとは、反対のタルシシュに向かう船に乗り込んでしまいます。

やがて大風が船を襲い、その原因を知るヨナは、自分を海に投げ込ませます。そのヨナを、神様は、大魚を備えて、飲み込ませられました。その大魚のお腹の中で、ヨナは心から悔い改めます。

悔い改めて、心が変えられたヨナは、陸地に吐き出され、神様の最初の命令通り、ニネベに向かい、悔い改めを説きます。

（二〇一七・八・一三）

万事が益となるように共に働く――その二

悔い改めて、心が変えられたヨナは、陸地に吐き出され、神様の最初の命令通りニネベに向かい、悔い改めを説きます。すると、ふしぎなことに、ニネベの町の人々は、身分の高い者から低い者まで悔い改めてしまいます。

そうすると、なんと、そのニネベの町の人々の姿を見て、神様は、下すとおっしゃっていた裁きを思い直されてしまいます。怒ったのはヨナです。

自分が嵐を越え、大魚のお腹の中を越え、いのちの危機を潜り抜けて行った宣教を、神様は一瞬にして反故にされるのですか……。そんな思いだったのかもしれません。

ヨナは、腹の虫がおさまらず、ニネベの町を見下ろす高台に小屋を建て、神様がこのニネベの町をどうされるのか、なお見届けようとします。そのヨナのそばに、神様は、とうごまの木を生えさせられます。

それは、日差しの厳しい季節でしたので、そのとうごまの木によって、陰ができ、ヨナは涼を得ることができます。ところが、神様は、虫に命じて、一晩で、そのとうごまの木を枯れさせてしまわれます。そうすると、ヨナは、また、かんかんになって怒りだします。そのヨナに対して、神様はおっしゃいます。

「お前は、自分で労することも育てることもなく、一夜にして生じ、一夜にして滅びたこのとうごまの木さえ惜しんでいる。それならば、どうして私が、この大いなる都ニネベを惜しまずにいられるだろうか。そこには、一二万人以上の右も左もわきまえぬ人間と、無数の家畜がいるのだから……。」

ヨナは、嵐を通らされ、大魚のお腹を通らされ、とうごまが一夜にして生え、一夜にして枯れるということを経験しました。それらのことを通して、神様がヨナに伝えたかったこと、教えたかったこと、それは神の愛でした。

聖霊は、わたしたちを、神を愛する者としてくださいます。そして、「万事が益となった」、あるいは、「万事を益としてくださる」という信仰を、わたしたちに与えてくださるのです。


（二〇一七・八・一三）

パズル

八月一三日、菅野鉱二さんが天に召され、一四日に教会で葬儀を行いました。今回も、骨上げを待つ間、ご家族とお交わりを持ち、いろいろなお話をお聞きすることができました。

それは、ピースがはまって行ってパズルが完成するように、召されたその方が「ああ、こんな方だったんだ」と新しい発見をする貴重なときでした。

菅野さんの姪に当たる方と、親しくお交わりをいただきましたが、菅野さんがまだ独身時代（姪に当たるこの方が小学生の頃）、菅野さんとお母様がお二人で生活しておられる、神戸のお家に、長野からバスに乗って遊びに行くのが楽しみだった、とお話しておられました。

菅野さんは、いろいろな本を開いて、お話をしてくださり、分からないこともいっぱいあったが、なぜかそのお話に引き込まれた、と言っておられました。また、教会の葬儀のことを、「暗さがなくて、とてもいいですね」と言っておられました。

それを受けて、わたしが、菅野さんが洗礼を受けて、クリスチャンになった後のご様子をお話しました。すると「あのおだやかな顔は、やはり、信仰の賜物だと思いました」と菅野さんの妹さんはおっしゃっていました。

今回は、たくさんの神の家族のために祈り、祈られて来た菅野さんのこと、教会のみなさんが日曜に学ばれた同じ聖書の箇所から、葬儀の説教を語りました。「同様に、霊も弱いわたしたちを助けてくださいます」（ローマ八・二六）、「人の心を見抜く方は、霊の思いが何であるかを知っておられます」（同八・二七）とありますが、聖霊がともにいてくださるという安心感から、フランクにいろいろなことを語り合い、分かち合うことができる楽しいひとときでした。

斎場から一旦教会に帰り、礼拝堂をご案内しました。葬儀式は、小礼拝堂でしましたので、妹さんも姪御さんも初めて礼拝堂に入られましたが、「堅苦しくなくていいですね」「暖かい感じでいいですね」と「いいですね」を連発しておられました。

これを機会に、教会へ足を運ばれる機会が与えられればいいなと、そのように祈らされました。

（二〇一七・八・一四）

輝かしい勝利を収めている

ある方が、わたしたちが人生で経験する様々な試練、苦難に対して、宗教というものがどのような役割を果たすのか、ということを三つのパターンを挙げて説明しておられました。

第一は、宗教というものは、厄除けをするものである、という考え方です。その宗教を信じ、その宗教のたとえば「お札」を買えば、病気にならない。災いにも遭わない、という考え方です。でもそんなことがあり得るのでしょうか。

第二は、病気になる。災いに遭う。でも、信仰すれば、その病気が治る。災いが益になる、という考え方です。

「神を愛する者たち、つまり、御計画に従って召された者たちには、万事が益になるように共に働くということを、わたしたちは知っています」（ローマ八・二八）との、みことばも受け取りようによっては、そのようにも受け取ることができます。

また現に、祈って癒される。祈って災いと思っていたことが益に変えられる、ということをクリスチャンは経験することができるのです。

けれどもそのことを証しするときには、気をつける必要があります。それは、「わたしは、キリストを信じていたから癒された。守られた。救われた。未信者の人はお気の毒さま」という印象を、与えてしまう可能性があるからです。

第三の考え方、それは神を信じていてもいなくても、病気になる。災いに遭う。でも、その意味が違って来る、という考え方です。明智光秀の娘、玉子は、細川家に嫁ぎますが、父・明智光秀が本能寺の変を起こして間もなく、秀吉の軍に敗れたため、逆臣の娘として幽閉されることとなります。

打ち続く試練の中、玉子に仕えていたキリシタンの次女・清原佳代は、「この試練が、玉子様にとって、グレース（恵み）、神様のご恩寵となりますように」と祈ったようです。これが、わたしたちの祈りであり、信仰です。

神を信じていても、病気になる。災いに遭う。でも、その中で、それでも、「神はわたしの味方である」という確信と平安をもつことができる。そして、自ら試練の中にありながら、他の人に寄り添う者となって行く。それが、「輝かしい勝利を収めている」者とされている、その生き方、歩みであるのです。

（二〇一七・八・二〇）

スペース

八月の末に「テモテ二一」西日本教会の初任者の研修会のために、今年は鳥取に行って来ました。その二日目、鳥取こども学園という施設をお訪ねし、見学させていただきました。こども学園は、一一〇年の歴史を持つ施設で、当初は、戦争や災害で孤児になった子どもたちを、収容する施設として始まったということです。

しかし、今のように、社会問題化する以前の約五〇年前から、虐待や家庭内暴力によって心に傷を受けた子どもたちを受け入れ、家庭的な雰囲気の中で、成長していくことを支える施設として歩んで来られた、とのことでした。

一つの棟を見学させていただきましたが、お互いに助け合い、支え合うことができるようにと、縦割りで、小学校低学年の子どもから、中学生の子どもまで、六名の子どもたちがそこで生活しているとのことでした。

部屋は、個室がいいという子ども、逆に、個室は寂しいから二人部屋の方がいいという子どももあり、どちらでも選べるようになっていました。

そのような個人の部屋とともに、みんなで集まって団らんすることのできるスペース、また、インフルエンザなどになった場合、隔離してお世話することのできる部屋も確保されていました。

スタッフの方は、延べ六名の方が、入れ替わり、立ち代わり、子どもたちの親代わりになってお世話しておられるとのことでした。何より驚いたのは、やはり、そのゆったりとした広さでした。

いわゆる「収容」施設ではなく、家庭的な雰囲気の中で、子どもたちが育っていくことのできるスペースがそこに確保されていると感じました。鳥取という地方だからこそ、確保できるスペースである、と思わされました。

同じように、わたしたちも、神様の愛、キリストの十字架の愛を受け取るスペースを確保することが必要です。そのことを通して、わたしたちは、愛に生きることができるのです。

（二〇一七・八・二九）

子どものための心理的応急処置

九月九日、神戸ＹＭＣＡで開かれた「子どものための心理的応急処置（ＰＦＡ）」の研修会に参加しました。この研修会は、ワールド・ビジョン・ジャパンが、熊本の震災時に、ＹＭＣＡの協力を得て、この研修会を行いました。

これが、たいへん好評だったことと、そのためにウエスレー財団の支援を得られたことから、全国的にこの研修会を展開することになった、その神戸での研修会でした。

研修の内容は、それほどむずかしいことではなく、災害や事故等、緊急時に、子どもをいかにケアすべきかというスキルで、まずケアを必要としている子どもがいないか「見る」ことです。

そして、子どもの目線にまで下がって行って、よく「聴く」こと、そして、その子どもが必要な援助を受けることができる機関に「つなぐ」ということでした。つまり、「見る」「聴く」「つなぐ」という三つのことを学びました。

「子どものための心理的応急処置」ということで、普段から子どものケアに関心を持っておられる方々が参加しておられ、ロールプレイをしたりしながら、楽しく熱心に学び、あっという間の三時間でした。

わたしは、ロールプレイで、四歳の子どもの役をしましたが、「お名前は？」と聞かれる相手の方に、四歳の子どもになり切って時間いっぱい泣き続け、相手の方を困らせてしまいました。

「見る」「聴く」「つなぐ」ということ、それは、子どもに限らず、また緊急時に限らず、いろいろな場面で必要なことではないか、と思わされました。

わたしたちも、日常のいろいろな場面で、「見」、「聴き」、適切な機関に「つないで」行く者とならせていただきたいと思います。

「ペトロは言った。『わたしには金や銀はないが、持っているものをあげよう。ナザレの人イエス・キリストの名によって立ち上がり、歩きなさい。』そして、右手を取って彼を立ち上がらせた」（使徒三・六〜七）。

（二〇一七・九・九）

命を与えるコミュニケーション――その一

一〇月二八日の第五回「教会運営セミナー」、今回のテーマは、「命を与えるコミュニケーション」ということでした。午前中は、そのような命を与えることばを語る土台ということ、午後は、その実践ということが語られました。

その土台ということをＬＩＦＥということばで説明してくださいました。ＬＩＦＥのＬ、それは、“love”「愛」ということ。わたしたちが命のことばを語る、それは、わたしたちの内から出て来るものではなく、上から、神様から愛を受ける必要があります。

そして、ＬＩＦＥのＩ、それは“interest”「関心」ということです。わたしたちが命のことばを語るために、まず、相手に関心を示し、相手の益になることを考え、行うことがたいせつです。世の中の考え方は、「自分を守るために、相手を引き下げる」というものです。でも、聖書が教える原則は、「自分がしてほしいことをする」ということです。“win lost”ではなく、“win win”ということです。

そして、ＬＩＦＥのＦ、それは“forgive”「ゆるす」ということです。それは

“forget”忘れなければならないということではありません。

このことに関して、リフレッシュコースのチャペルのときに、E先生が、両親から虐待を受けて来た求道者の方に、「無理に赦そうとしなくてもいいんです。むしろ、そのことを通して神様に結び付くことができたのですから、赦せないという気持ちを大切にしてください」と言われた、というお話を思い出しました。

「愛」「関心」「ゆるす」。そして、LIFEのEは“encourage”「励ます」ということです。

「愛」「関心」「ゆるす」「励ます」、そのようなことを土台として、わたしたちが建て上げて行くことば、徳を高めて行くことば、命を与えることばを語る者となって行くことができれば、なんと幸いなことでしょうか。

（二〇一七・一〇・二八）

命を与えるコミュニケーション——その二

第五回「教会運営セミナー」での午後は、実践編で「命を与えるコミュニケーション」をしていくための四つの質問ということを教えていただきました。

①「あなたが今おっしゃったことは、……ということでよいですか」と繰り返すことによって明確化すること。

②「もう少し話していただけませんか?」と、傾聴すること。

③「それで、どんな風にお感じになっておられますか」と、感情に耳を傾けること。

④「わたしに何かできることはありますか」と、へりくだって耳を傾けること、ということでした。

ベン先生は、ロールプレイの中で、相手の正木先生に、「わたしに対して、何か怒っておられることがあると聞いたのですが……」という質問から、始められました。

それに倣って、わたしもロールプレイのときに、同じ質問をTさんに向けてみました。そうすると、「実は、……」と言って、わたしがあることで、その方を傷つけてしまった出来事を話し出され、あわてて心からお詫びするという一幕がありました。

それは、メールをいただいたその本文に添えて、「内視鏡の検査をすることになりました」と書かれていたことに、わたしが何の応答もしなかった。いわゆる、スルーしてしまったことによって、その方を傷つけてしまった、というできごとでした。

そのできごとの後、もう一つ、T市のAさんからメールをいただきながら、スルーしてしまっていたことを神様が思い出させてくださいました。

あわてて、その方にメールしましたが、その日の夕方、お礼のメールが届き、「祝祭礼拝のためお祈りしています」との一文が添えられていて、大きな励ましをいただきました。「命を与えるコミュニケーション」、それは、池に小石を投げ込んだときに波紋が広がるように、気づいたことをちょっと声にする、ちょっと行動を起こす、そんなところから波紋のように広がって行くものなのかもしれません。

（二〇一七・一〇・二八）

積極性の空洞

神学校の図書館の司書をしておられる、盛岡麻菜さんが長年描きためて来られた絵画の個展があり、見に行って来ました。絵とともに、それにつけられている題がおもしろいと思いながら、楽しく鑑賞しました。

たとえば、こんな題がありました。「否定によって肯定を学ぶ」「目を閉じて見つめる」という題の絵もありました。

その絵の前に来たときでした。

「『目を閉じたら、何も見えないじゃない』……」と笑いながら、通り過ぎて行く人がいました。そのことばを聞いて、わたしの方がびっくりしました。盛岡さんは、「この人は、目を閉じて見えてくる世界を知らないんだなあ、と思いました」と言っておられました。

また、こんな題の絵もありました。

「積極性の空洞」

「これはどういう意味ですか?」というわたしの質問に答えて、盛岡さんが解説をしてくださいました。

「仕事もできて、スポーツもできて、英会話もできて、という人を見ると、自分もそうならなければ、と思うことがあります。でも、そんな風にがんばって生きようとすれば、わたしの場合、何かがすり抜けて行きそうな気がするんです。わたしの場合、ゆっくり生きること、のんびり歩くこと、ゆったり過ごすこと、それが積極的なことなんです」そんな意味のことを、言っておられました。

人に注目されることが苦手な人もいれば、それが喜びという人もいます。早くこなすことに喜びを感じる人もいれば、ゆっくり味わいながらすることに喜びを感じる人もいます。日に焼けるのが好きな人もいれば、日に焼けるのが嫌いな人もいます。人はそれぞれです。

そんな中で、盛岡さんが自分を生きておられるということに触れて、ほっとするような思いになりました。

とともに、「積極性の空洞」という題を通して、徹底的に受け身になる「礼拝」、それは、ある人にとっては、無駄なこと、空虚なことと映るかもしれません。

けれども、信仰が与えられたわたしたちにとっては、積極的なこと。いのちをいただくひとときである、ということを黙想しました。

（二〇一七・一一・六）

礼拝者として生きる――その一

二〇一八年は、「礼拝者として生きる」との年題を掲げて、歩みたいと願っています。そこで、わたしたちにとって、「礼拝」とは何であるのか、について考えてみたいと思います。

今年は、宗教改革五〇〇周年ということで、一〇月二九日、青谷教会を会場に、祝祭礼拝がもたれました。その祝祭礼拝のプログラムに、「祝祭礼拝ミニレクチャー」という欄があり、その中に、こういう文章がありました。

ルターの礼拝改革のポイントを、いくつか申し上げますと、まず礼拝の方向が逆転しました。「わたしたちが、神様にお仕えする」という下から上への祭儀的方向性から、「神様が、わたしたちに仕えてくださる」という上から下への礼典的方向性への転換です。

ルターは、ドイツ語で、礼拝のことを〝Gottesdienst〟と呼びました。それは、「神が仕えてくださる」という意味です。「神が仕えてくださる」とは、「礼拝者である民衆に神がお仕えくださる」ということです。

繰り返しになりますが、そのとき、神様は、わたしたちに「福音の説教と聖礼典」を通してお仕えくださるのです。また、説教は、「福音の宣言」に改革され、讃美歌は「教育的」なものに改革されました。

ルターの宗教改革により、礼拝、それは、わたしたち人間が神様に犠牲を献げるときから、神様がみことばと礼典を通して、わたしたちに仕えてくださるときへと一八〇度方向転換しました。

＊

盛岡麻菜さんの個展の中に、「積極性の空洞」という題の絵がありました。徹底的に受け身になる、それが「礼拝」のときなのです。

それは、ある人にとっては、無駄なこと、空虚なことと映るかもしれません。けれども、信仰が与えられたわたしたちにとっては、積極的なこと。いのちをいただくひとときであるのです。

（二〇一七・一一・一九）

礼拝者として生きる——その二

祝祭礼拝プログラムの「祝祭礼拝ミニレクチャー」、その中の前回引用した最後の部分で、こう言われていました。

「讃美歌は『教育的』なものに改革されました」それは、ルターの宗教改革が、一つには賛美の改革であったということを言い表しています。

それまでの礼拝において、賛美は、ラテン語で歌われ、会衆にとって、それは、聴くだけのものでした。それに対して、ルターは、会衆が理解できるドイツ語の歌詞の讃美歌をたくさん作って行きました。

ルターの宗教改革によって、賛美は、聴くだけのものから、いっしょに歌うものに変わって行きました。そして、「ミニレクチャー」の文章は、このように続いています。

＊

礼拝賛美には、聖書のみことばを歌う「コラール」が取り入れられ、民衆は歌いつつ正しい聖書の教えを身につけることになりました。

礼拝では、説教に合った賛美を歌い、礼拝から遣わされた生活現場でも、その賛美を口ずさみます。かくして「説教」が日常に持ち運ばれて、クリスチャンの生活全体が礼拝になりました。

ここで、わたしたちが覚えたいことは、礼拝というのは、日曜に教会に来ているときだけではないということです。主の日に、礼拝に与り、その恵みをもって、遣わされたそれぞれの場で神と人とに仕えて生きる、その全体が礼拝の生活であるということです。

そして、それは、礼拝で歌った讃美歌を口ずさみながら、神を賛美して生きる、それが礼拝者の生活であるということです。

＊

「讃美を歌うことは、二回祈ることに等しい」讃美歌の歌詞を味わうことを通して、歌う人の魂が養われ、さらに讃美歌を聞いた人の心の内に信仰が引き起こされて行く、そういう意味で「二回祈ること」になるとルターは言いました。　（二〇一七・一一・一九）

礼拝者として生きる――その三

年題「礼拝者として生きる」と「伝道」ということについて、考えてみたいと思います。あかし、伝道の絶対条件、それは「聖霊」ということです。

「あなたがたの上に聖霊が降ると、あなたがたは力を受ける。そして、エルサレムばかりでなく、ユダヤとサマリアの全土で、また、地の果てに至るまで、わたしの証人となる」(使徒一・八)とあるように、聖霊がともにいてくださることのない説得や教えによって、人を回心させることはできません。

ある人が、病院に入院しているおじさんのお見舞いに行きました。「イエス様のことをあかししたい」との思いで、勇んで行きましたが、小さい頃から知っている姪ということで、子ども扱いされ、這う這うの体で帰って来ました。

二回目に、お見舞いに行ったときのこと、「そうだ、お祈りするのを忘れていた」ということで、病室の前で、お祈りして病室に入って行ったそうです。そうすると、不思議におじさんの心が開かれ、お話を聴いてくれた。そんなお証しを聞いたことがあります。

聖霊がともにいてくださる、そのことによってはじめて、証し、伝道は可能となります。そして、聖霊は、聖書のことば、みことばとともに働かれます。ですから、礼拝こそ、何よりわたしたちが聖霊を受ける場であるのです。そこから遣わされて、置かれたところで神と人とに仕え、また、ことばを通し、行いを通し、生活を通して主を証しして行く、それが、信仰生活です。

そして、アンデレがペトロを主キリストのもとに連れて行ったように、みことばの語られる場である礼拝にお連れすること、そして、その人が主キリストを信じ、ともに礼拝者となって行く、それこそが、証し、伝道のゴールであるのです。

教会として、バザーをしたり、コンサートを開いたり、〜教室をしたり、といろいろなことをしてよいのです。また個人として、ことばを通し、行いを通し、生活を通して、証し、伝道して行くことがたいせつです。けれども、そのゴールは、その人が礼拝者となる、ことなのです。

松村雄志先生の按手論文を読み、「礼拝の循環性」ということばに心が留まりました。

（二〇一七・一一・一九）

礼拝者として生きる——その四

わたしたちは、自分の行いによらず、神様の恵みにより、また、その恵みを受け取る信仰によって救われます。そして、その信仰を造り出してくださるのは、聖霊であり、聖霊は、聖書のみことばを通して働かれます。「恵みのみ」「信仰のみ」「聖書のみ」ということです。

「聖書のみ」ということに関して、ルターが行った大きな働き、それは、聖書をドイツ語に翻訳するということでした。それまで礼拝は、ラテン語で行われていました。ルターの宗教改革によって、母国語で語られる聖書のみことばと説教を聴き、母国語のことばによって讃美歌を歌うことができるようになったということは、一般民衆にとって大きな変化でした。

今日、わたしたちが気軽に、日本語で聖書が読めるということ、それは大きな恵みです。このことに、わたしたちはもっともっと感謝すべきです。

聖書学院生だったころ、『ひとりでできる聖書の学び』という本と出会い、その中で教えられていた仕方に従って、聖書のみことばの「暗唱」をしたことがありました。そのことを思い出して、最近、『新共同訳聖書』で暗唱をし直し、恵まれています。

それは、第一日目、一つの聖句を暗唱する。二日目、一日目に暗唱した聖句を復習するとともに、新たに一つの聖句を暗唱する。三日目、一日目、二日目に暗唱した聖句を復習するとともに、新たに一つの聖句を暗唱する。第四日以降、残りの四日間、その三つの聖句を復習する。

そして、新たな週、先週暗唱した聖句を復習しながら、また新たな聖句を三つ、その週のうちに暗唱する。それを七週続ける、というものです。

最初、暗唱したときには、たどたどしくても、何週か復習しているうちに、ずいぶん滑らかに暗唱できるようになります。そして、日常生活の中で、口をついてみことばを口ずさんでいる、ということを経験します。興味のおありの方は、お知らせください。コピーを差し上げます。

また、来年春から「ベテル聖書研究」を始めようかと思っています。いろいろなかたちで、「日本語で聖書が読めるという大きな恵み」を自分のこととして経験させていただきたいと思います。

（二〇一七・一一・一九）

礼拝者として生きる――その五

年題「礼拝者として生きる」と「交わり」、「奉仕」ということについて、考えてみたいと思います。青谷教会の「信徒の手引き」一四ページに、「万人祭司」ということについて書かれている一文があります。

「万人祭司……教会の秩序のために、それぞれの教会に牧師が与えられていますが、伝道・牧会は牧師だけがするのではなく、すべての信徒が賜物に従って、伝道（あかし）・牧会（とりなし）をしていくよう神様から召されているということです」万人祭司（正確には、全信徒祭司）ということです。

また、新約聖書の中に、日本語で「交わり」と訳される「コイノニア」ということばが出て来ます。

それは、単に「お茶を飲みながら、おしゃべりをする」という交わりではなく、「伝道、牧会といった教会のわざにともに参与する」という意味のことばです。

自分中心の生き方から、神様中心の生き方に方向転換させていただいた、それがクリスチャンの生活です。太陽に背を向けて歩く限り、どこまで行っても、自分の影に追いつくことはできません。でも、一八〇度方向転換して、太陽に向かって歩き始めるなら、影はわたしたちの後ろからついて来ます。

そのように、神の国と神の義を第一として歩むことを通して、それに加えて、さまざまな祝福が後から追いかけて来る、それが、クリスチャン生活です（マタイ六・三三）。

そういう意味で、クリスチャンにとって、交わりと伝道ということ、交わりと奉仕ということ、それは、バラバラのことではなく、いろいろな側面でつながっていることなのです。

わたしたちは、一〇〇パーセントの恵みによって救われました。だからこそ、「救われるために」ではなく、「救われた者として」一〇〇パーセント神様にお献げして行くことが求められているのです（ローマ一二・一～二）。

（二〇一七・一一・一九）

インパクトセミナー

「インパクトセミナー」に、お誘いいただいて参加しました。リーダーの資質、リーダーとしての、もののとらえ方、考え方を学ぶセミナーでした。

「ストレッチゴール」

途方もないゴールは、人を失望させてしまいます。でも、到達できていることをゴールにしても、モチベーションは上がりません。ちょっと頑張れば到達できそうなゴールを、設定することがよいようです。

神学校の経営に関するアドバイザーとして、ベン先生が会議に出られたとき、先生が掲げた献金の目標額に対して、最初、みんなは、「そんなの無理だ」という反応でした。

ベン先生は、献金を募る分野を分けて、それぞれの分野の目標額を決めて行かれました。そして、その合計をすると、最初の目標額と同額になったそうです。みんなも「これならやれる」と前向きになったそうです。

I教会のE先生が「高齢化し、いろいろな面で縮小を考えなければならない教会の現実の中で、ビジョンということをどう考えたらよいのでしょうか」と言われた質問と、それに対するベン先生の答えも印象に残りました。

「教会は、成長するときもあれば、縮小するときもあります（たとえば、ノアの箱舟のとき、また出エジプト後の荒野の彷徨など）。マカオの神学校は、一旦閉鎖されることを通して、新しく働きが始まって行きました。こうであるべき、こうでなければならない、という成長神話は捨てなければなりません」

さらに、Y教会のM先生が、グラフを示して、「Y教会は、あるときから成長が止まってしまいました。礼拝出席数は、ずっと横ばいです」との発言に対して、ベン先生は、このように言われました。

「Y教会は、児童伝道を行い、たくさんの青年を送り出して来ました。一つの指標だけで判断するのは危険です」と。

「インパクトセミナー」は、頭を柔らかくしてくれるセミナーであり、イベントとともに、イベントを通して人が育てられることのたいせつさを教えられるセミナーでした。

（二〇一七・一一・二〇）

待ち望むということ——その一

「待つ」、「待ちのぞむ」とは、どんな心の姿勢なのでしょうか。

第一に、結果に対して開かれた態度を持っている心の姿勢です。わたしたちは、往々にして、「就職できたらよいのに」とか、「天気がよくなればよいのに」とか、「この痛みがなくなればよいのに」とか、様々な願望に満たされていることが多いのです。

わたしたちは、未来を自分の思い通りに操作しようとします。そして、それが実現しないときに、失望し、ときに自棄（やけ）を起こします。

けれども、「待つ」「待ちのぞむ」、それは「願望」ではなく、「希望」に満たされている心の姿勢なのです。

もちろんのこと、わたしたちは人間ですから、いつもいつも「希望」に満たされているということは不可能です。だからこそ、絶えず自分の願望を神様に明け渡し、希望に満たしていただくことがたいせつなのです。

あのパウロも、自分の病が癒されるように熱心に祈りました。けれども、最終的に、

「わたしの恵みはあなたに十分である。力は弱さの中でこそ十分に発揮されるのだ」との主の御声を受けて、「キリストの力が内に宿るように、自分の弱さを誇ろう」と言う者に変えられて行きました。

「待つ」、「待ちのぞむ」、それは、結果に対して開かれた態度を持っている心の姿勢です。第二に「待つ」、「待ちのぞむ」、それは消極的な心の姿勢ではなく、積極的な心の姿勢です。

預言者エレミヤは、バビロンに捕囚となった民に向かって、「わたしは、あなたたちのために立てた計画をよく心に留めている、と主は言われる。それは平和の計画であって、災いの計画ではない。将来と希望を与えるものである」（エレミヤ二九・一一）と、将来、解放されて国に帰ることができる、という希望のメッセージを語りました。

（二〇一七・一二・一〇）

待ち望むということ――その二

「待つ」、「待ちのぞむ」、それは結果に対して、開かれた態度を持っている心の姿勢です。第二に、「待つ」、「待ちのぞむ」、それは消極的な心の姿勢ではなく、積極的な心の姿勢です。

預言者エレミヤは、バビロンに捕囚となった民に向かって、「わたしは、あなたたちのために立てた計画をよく心に留めている、と主は言われる。それは平和の計画であって、災いの計画ではない。将来と希望を与えるものである」（エレミヤ二九・一一）と、将来、解放されて、国に帰ることができるという希望のメッセージを語りました。

けれども、その前にこんなことを言っています。

「イスラエルの神、万軍の主はこう言われる。わたしは、エルサレムからバビロンへ捕囚として送ったすべての者に告げる。家を建てて住み、園に果樹を植えてその実を食べなさい。妻をめとり、息子、娘をもうけ、息子には嫁をとり、娘は嫁がせて、息子娘を産ませるように。そちらで人口を増やし、減らしてはならない。わたしが、あなたたちを捕囚として送った町の平安を求め、その町のために主に祈りなさい。その町の平安があってこそ、あなたたちにも平安があるのだから」（エレミヤ二九・四〜七）。

「待つ」、「待ちのぞむ」、それは、「家宝（かほう）は寝て待て」式に、何もしないで、ただただ神様の約束を待つだけではありません。

エレミヤは、神様が与えてくださる解放、希望を待ち望みつつ、今置かれているところで、人々に仕えなさい。人々の祝福を祈りなさいと命じ、自らもそのように生きました。「待つ」「待ちのぞむ」、それは消極的なことではなく、積極的なことであるということです。

では、どうしてそのような積極的に「待つ」ということ、「待ち望む」ということが可能となるのでしょうか。

それは、「待つ」「待ちのぞむ」、それは第三に、自分の中に成長し始めた命を受け取ることから始まって行く心の姿勢であるということです。

（二〇一七・一二・一〇）

待ち望むということ――その三

「待つ」「待ちのぞむ」、それは第二に、消極的な心の姿勢ではなく、積極的な心の姿勢です。

では、どうしてそのような積極的に「待つ」ということ、「待ち望む」ということが可能となるのでしょうか。

「待つ」、「待ちのぞむ」、それは第三に、自分の中に成長し始めた命を受け取るということから始まって行く、心の姿勢であるということです。

それは、新しい命を授かった母親にたとえることができます。新しい命が誕生するその日まで、母親は、その命を愛おしみ、待ち望みます。

そのように、「待つ」、「待ちのぞむ」というとき、それは、自分の中に成長し始めた命を受け取ることから始まって行きます。

わたしたちは、キリストという命を受け取ったのです。今のマイナスの現実から抜け出して、プラスの現実へと飛躍する、それが、「待つ」「待ちのぞむ」ということではないのです。今、すでに命を受けているのです。

その命が成長して行くようにと、待ち望む。それが、わたしたちが待つ、待ち望むということなのです。たとえ、現実が厳しくても、です。

「わたしが来たのは、羊が命を受けるため、しかも豊かに受けるためである」（ヨハネ一〇・一〇）。

そのように、「待つ」「待ちのぞむ」、それは、キリストという命を受け取るということから始まる生き方です。

それは、消極的ではなく、積極的な生き方です。そして、結果に対して開かれた生き方であるということです。

では、そのような「待つ」、「待ちのぞむ」生き方をわたしたちが生きるその土台は何なのでしょうか。


（二〇一七・一二・一〇）

待ち望むということ――その四

では、そのような「待つ」、「待ちのぞむ」生き方をわたしたちが生きるその土台は、何なのでしょうか。ヘンリー・ナーウエンというカトリックの司祭が、あるとき病院に入院している友人を、訪問したことがありました。

その友人は、社会活動家で、世話を必要とする人々、特に貧しい人々に深く関わって活動して来られた方でした。

ところが、五〇歳を過ぎたころ、癌に冒されていることが分かり、だんだんと動けなくなって行きました。ナーウエン神父が訪ねると、その方は、こんなことを言われたそうです。

「ねえ、ヘンリー。ごらんのように、わたしはベッドに寝ているだけの生活だ。この病気を、どう受け留めたらよいかさえ分からない。……こんな状態を、新しい目で見直せるように助けてくれないか。」

そのとき、ナーウエン神父は『待つことにおける成長』という、イエス様のゲッセマネの園における苦しみと、十字架に至る道について記している書物を、いっしょに味わって読むことにされたそうです。

その書物を読み進めることを通して、イエス様が活動的な生活から受難へと移行して行かれた、その意味を深く理解することができた、と神父は言われます（『待ち望むということ』ヘンリー・ナーウエン著・あめんどう社より）。

イエス様は、引き渡されて行く歩みへと歩んで行かれました。自分の思い通りに操作できない歩みへ、と歩んで行かれました。そして、その歩みの中で、イエス様の愛、神の愛は、よりはっきりと現れて行ったのでした。

今、自分が、自分の思い通りに操作できない歩みへと歩まされている。引き渡されて行く歩みへと歩まされている。それは、このキリストの愛、神の愛をより深く理解するという点で価値がある、ということにその友人は目が開かれて行きました。

「待つ」「待ちのぞむ」、生き方をわたしたちが生きるその土台、それは、キリストの十字架の愛ということです。

（二〇一七・一二・一〇）

いのちのことば――その一

わたしたちは、どのようにして、人を傷つけることばではなく、人を慰め、励まして行くことばを語ることができるのでしょうか。先日、ベン・プーイ先生から、「いのちを与えるコミュニケーション」というお話をお聴きしました。

「LIFE」ということばのL・I・F・E、それぞれの文字を頭文字にした四つのことばで、「いのちを与えるコミュニケーション」ということを説明してくださいました。

Lを頭文字にしたことばが、一番目ですが、それを後回しにして、二番目のIを頭文字にしたことばからご紹介したいと思います。それは、"Inerest"「関心」ということです。

このことに関して、心に浮かぶ聖書の物語があります。それは、ベトザタという池のほとりで三八年間も横たわっていた病人に向かって、イエス様が「良くなりたいか」と尋ねられたできごとです。

このベトザタの池は、ときどき水が泡立つことがありましたが、そのときに、最初に池に入った人は病気が癒されるという伝説の池でした。

イエス様の「良くなりたいか」という質問に対して、この人は、「主よ、水が動くとき、わたしを池の中に入れてくれる人がいないのです。わたしが行くうちに、ほかの人が先に降りて行くのです」と答えました。それは、池が泡立ったとき、さあ池に入ろうと思うのですが、その度に自分より元気な人が池に入ってしまい、三八年間も池のほとりで横たわっていたという現実を、物語っていました。

この人のまわりには、人がいっぱいいました。でも、だれも自分に関心を寄せてくれる人はいませんでした。みんなが競争相手であり、自分のことで精一杯でした。

そんな中で、イエス様だけが、「良くなりたいか」と、この人に関心を寄せて行かれました。そして、この人のうちから信仰を引き出し、この人を癒して行かれました。

わたしたちがいのちのことばを語る、人を生かすことばを語る、そのためにたいせつなこと、それは第一に、その人に関心を寄せるということです。（二〇一七・一二・二三）

いのちのことば――その二

わたしたちが、いのちのことばを語るためにたいせつなこと、それは第二に、“Forgive”「ゆるす」ということです。それは、“Forget”忘れなければならない、ということではありません。

このことに関して、先日、一人の牧師から聞いたこんなお話を思い出します。その先生が、牧師をしている教会に、一人の求道者の方が来られるようになったそうです。

しばらくは、熱心に礼拝と祈り会にも出席し、洗礼に向けての準備の学びも始めていましたが、あるときから、礼拝も休みがちになり、何よりもその先生を避けるようになられたそうです。

ある日の祈り会で、その理由を聞く機会がありました。お話を聴くうちに、その方は、お父さんからひどい虐待を受ける経験を持っておられるということが分かりました。そしてモーセの「十戒」の四戒、「父と母を敬え」という戒めを守ることができないということで、自分を責めておられるということでした。

このお話を聴いて、いっしょにいた一人の信徒の方が、「神様がお父さんのことを赦せるようにしてくださいますよ」と言われたそうです。そのとき先生は、その方に向かってこう言われたそうです。「無理に赦そうとしなくても、いいですよ。むしろ、そのことを通して神様に結び付くことができたのですから、赦せないという気持ちをたいせつにしてください」

小さいときに、虐待を受けたというような深い傷を持っている場合、わたしたちは、自分の力によって傷を与えた人のことを赦すことはできません。それは信仰によってのみ、可能となる生き方です。

そしてわたしたちがいのちのことばを語るためにたいせつなこと、それは第三に、“Encourage”「励ます」ということです。

（二〇一七・一二・二三）

いのちのことば――その三

わたしたちが、いのちのことばを語るためにたいせつなこと、それは第三に、“Encourage”「励ます」ということです。

パウロは、囚人として、船でローマへと護送される途中、嵐に遭遇して、船が遭難してしまうということを経験しました。

みんなが疲れ果て、希望を失っているときに、パウロは「ですから、みなさん、元気を出しなさい。わたしは神を信じています。わたしに告げられたことはそのとおりになります」とみなを励ましたということが、使徒言行録に記されています。

パウロは、囚人でした。鎖につながれている身でした。けれども、その船の船長であるかのように、みなを励ますことができたのでした。わたしたちも、このパウロのように、人を励ますことば、人を慰めることば、人に力を与えることばを語る者としていただきたいと思います。

そして、第四、最初に戻ってそれは“Love”「愛」ということです。わたしたちが命のことばを語る、それは、わたしたちの内から出て来るものではなく、上から、神様から愛を受ける必要があるのです。そのことを通して、わたしたちは人に関心を向け、人を赦し、励ます者としていただくことができるのです。

神が人となられた、それがクリスマスです。それは、わたしたち人間が経験する悲しみ、苦しみ、孤独を共感するためでした。と同時に、わたしたちが抱えている悲しみ、苦しみ、孤独、その根源にある罪を身に引き受けて、イエス・キリストは十字架で死ぬために人となられたのでした。

そこに、「愛がある」と聖書は語るのです。このクリスマスに、人となられた神、ことばなる神をわたしの神、わたしの主と受け入れて行くとき、わたしたちの心が変えられ、ことばが変えられて行くことを経験するのです。

（二〇一七・一二・二三）

いのちのことば――その四

第四に、最初に戻って“Love”「愛」ということです。わたしたちが命のことばを語る、それは、わたしたちの内から出て来るものではなく、上から、神様から愛を受ける必要があるのです。

そのことを通して、わたしたちは、人に関心を向け、人を赦し、励ます者としていただくことができるのです。

ある教会の信徒の方のお話ですが、その教会の牧師に、こんな質問をされたそうです。

「先生、わたしは、いつ死んだらいいですか。何曜日に死んだら、先生のご都合がいいですか」

その教会の牧師は、教会の牧会とともに、教団の責任も持って、とても忙しい先生でした。先生のことを気遣って、この方がまじめに質問された質問でした。

実は、この方は、死とその後の裁きということを恐れて、それがきっかけで教会に来られるようになった方でした。教会に来られたころは、自分のことで精一杯という方でした。

それが、教会において、イエス・キリストがわたしの罪の裁きの身代わりとして十字架で死んでくださったことを知り、イエス・キリストを救い主と信じ、受け入れられました。そのことを通して、「たとえ今日死んでもだいじょうぶ」という平安を得られました。ですから、「先生、わたしは、いつ死んだらいいですか?」というのは、かつて自分のことで精一杯だったこの方が、イエス・キリストによって平安を与えられ、ゆとりを与えられ、発することができた牧師を思いやることばでした。

わたしたちも、人となられた神、ことばなる神をわたしの神、わたしの主と受け入れて行くとき、わたしたちの心が変えられ、ことばが変えられて行くということを経験します。そして、それこそがほんとうのクリスマスであり、クリスマスの迎え方なのです。

（二〇一七・一二・二三）

資格のない者

昨年のことですが、こんな経験をしました。今年の四月、「心に光を」の放送50周年の記念集会を、青谷教会で行います。その賛美ゲストとして、吉村美穂さんという方をお迎えする予定にしています。その吉村美穂さんが、お仲間といっしょに教会で開いておられるコンサートに参加しました。

そのコンサートの中で、クイズとプレゼントの時間がありました。出演者が五名で、それぞれに三択のクイズを出題し、正解すると、その正解者にプレゼントが贈呈されました。そのクイズの時間、わたしも手を挙げ、正解して、プレゼントをいただきました。

ところが、お一人の方、確か、三回か、四回手を挙げて、指名されましたが、ことごとく不正解で、プレゼントをもらえない女性の方がおられました。

プレゼントをもらえなかった方が、あまりにも熱心に手を挙げておられましたので、わたしは親切心を起こし、コンサートが終わってから、その方のところへ行き、「これ、持っているので、差し上げます」とそのプレゼントを差し出しました。

ところが、喜んでいただけると思いきや、その方は、「わたしは受け取る資格はありません」と拒否され、さびしく帰って行かれました。

「ただほど高いものはない」、「何か下心があるに違いない」、そんな風に疑ってかかる、それが世の中の尺度です。

けれども、神の国の尺度、それは憐れみということです。神様は、資格のない者に憐れみによって、与えると言ってくださるお方なのです。その神様から差し出されたものを「ありがとうございます」と受け取る、それが信仰なのです。

わたしたちは、どうでしょうか。「わたしには、資格はありません」と、神様が差し出しておられるものを拒否してしまっているということがあるとしたら、それはもったいないことです。

神様が憐れみによって差し出しておられる恵み、祝福を「ありがとうございます」と感謝して受け取る、それが礼拝のときなのです。

（二〇一八・一・一）

茶漬け閻魔（えんま）

上方落語に「茶漬け閻魔」という演目があるそうです。そして、桂枝雀さんが演じられた「茶漬け閻魔」は、少し現代風にアレンジしたもので、イエス・キリストが登場して来るようです。閻魔さんが、「あのキリちゃん」とか「あのキリストはん」とか言うそうです。

そして、そのイエス・キリストがどういう姿で登場するかというと、夜になると酔っぱらう酒癖の悪い男として登場するのだそうです。

どうして、酒癖が悪いかと言うと、昼間「右の頬を打たれたら、左の頬を出せ」というような説教をし、みんなから拍手喝さいされるものですから、引くに引けず、頬っぺたを引っぱたかれてストレスがたまり、夜になると酒を飲んでしまう、そんな男として描かれているということです。

教会の外の人が、イエス・キリストについて、また、クリスチャンについて、どんな風に思っているのか、ということがよく分かるおもしろい例だと思いました。もちろんそこには、誤解があります。

第一に、キリストは、気の小さい、弱々しいお方ではありませんでした。さらに、イエス様は、昼間お説教をして、そのように生きようとしてストレスがたまり、夜になると酒を飲んでしまう、そんなお方ではありませんでした。夜もまた、愛に生きられたのでした。あの十字架につけられる前の晩、徹夜の裁判を受け、鞭打たれ、翌朝、ゴルゴダまで十字架を担いきれないほどに苦しんでくださったのでした。

では、先ほどの落語に照らして、わたしたち、クリスチャンはどうでしょうか。わたしたちは、自分の力でがんばって、人を愛し、助けようとするときには、どっと疲れを覚えてしまいます。お酒を飲んで、憂さを晴らしたい。そんな気分になることもあります。

けれども、キリストにあって、人を愛し、仕え、助けようとするとき、わたしたちはそれほど疲れを覚えることはないのです。また、肉体は疲れても、心は喜びに満たされている、そんな経験をすることができるのです。

（二〇一八・三・四）

ハワイ訪問――その一

「一つ残念なことは、放送の後、冬木先生にパールハーバーに連れて行っていただきましたが、事故渋滞で、三〇分で行けるところを二時間かけてたどり着けず、引き返してしまいました。神様が『もう一度ハワイに来なさい』と呼んでくださっているのかなあ、と自分勝手に解釈したりしています」

これは、二〇〇四年に「グローバルミッション」というツアーで一度ハワイに行きましたが、そのときのことを書いた『信じるヒント』の本の中の一節です。

あのとき、「もう一度、ハワイに来させてください」と願った、小さな願いを神様は覚えておられて、今回実現に至らせてくださいました。最初、正木牧人先生から「ハワイの『心に光を』の放送三〇周年の記念集会に招かれて行って来ます」とお聞きしたとき、「これは理事長として行かなければ」という思いになりました。

でも、後から、確認してみると、三〇周年ではなく、三六年目とのこと。そして、昨年、天に召された正木茂先生を偲んで、正木牧人先生をお招きしたいということであることが分かりました。飛行機のチケットも予約した後のことでしたので、「ちょっと、先走っただろうか」という思いにもなりました。けれども、そんなわたしを励ますように、ハワイの冬木先生からメールをいただきました。

「大変ご無沙汰しています。前回行けなかった、パールハーバーには是非お連れしたいと願っています。また、ラジオ放送にも参加してください。……もう一つお願いしたいことがあり、メールさせていただきました。突然ですが、三月一一日の日曜日の礼拝で、私たちの教会の礼拝でメッセージをお願いできるでしょうか。再会を楽しみにしています」

前回、ハワイに行ったとき、わたしは、大人数の参加者の一人でした。それも、一四年も前のことです。でも、その一人であるわたしを、冬木先生が覚えてくださっていたということに、驚きとともに、感動しました。それとともに、わたしは忘れても、神様はわたしのことを決して忘れてはおられないということを、体験をもって教えられるできごととなりました。

（二〇一八・三・一五）

ハワイ訪問――その二

三月八日、伊丹空港から成田空港を乗り継いで、ホノルルに向かいました。成田を出発したのが、八日の夜、ところがホノルルに着いたのが、八日の朝。何か、感覚が変になりそうでした。しかも、約六時間のフライトの間、二回の機内食が出ましたので、実質寝たのは三時間くらいでしょうか。

でも、ホノルルでは、冬木先生が待ち構えてくださっていて、「ともかく、前回お連れできなかったパールハーバーにお連れしましょう」と連れて行ってくださいました。まず、真珠湾攻撃のことを全体的に展示、紹介している「アリゾナ・メモリアル」を見学。

その後、真珠湾攻撃によって沈められた戦艦アリゾナは、今も海の底に眠っていますが、その真上に「アリゾナ記念館」という記念館があり、その隣に「戦艦ミズーリ記念館」という二つの記念館が併設されています。その「戦艦ミズーリ記念館」の方を見学しました。

戦艦アリゾナは、真珠湾攻撃によって沈められた戦艦であり、太平洋戦争の始まりを象徴しています。戦艦ミズーリは、一九四五年九月二日、マッカーサー元帥を始めとする連合軍代表と、日本からは政府全権の重光葵外務大臣、大本営全権の梅津美治郎参謀総長を始めとする日本代表とが顔を揃え、日本の「降伏文書調印式」が行われた会場でした。言わば、太平洋戦争の終わりを象徴している戦艦ということができます。

そんな「アリゾナ・メモリアル」「戦艦ミズーリ記念館」の見学は、歴史を肌で感じる見学となりました。でも、やはり、いちばん印象に残ったのは、あの「トラ、トラ、トラ。われ、真珠湾奇襲攻撃に成功せり」と打電したのが、淵田美津雄だったということを改めて知らされたことでした。

淵田は、その後、キリストと出会い、クリスチャン、伝道者となって、ここハワイに戻って来ました。神様はわたしたちの歴史の真っ只中においでくださり、人を造り変えて行かれるお方であるということを改めて覚えさせられました。　（二〇一八・三・一五）

ハワイ訪問――その三

今回は、近畿ルーテル教会、六甲ルーテル教会の会員であり、旅行社にお勤めの工藤さんにホテルもとっていただきました。ワイキキのビーチにも近い、とても便利なところにあるホテルでした。ワイキキのホテルは、宿泊費とともに、「リゾート料金」というものを取られます。

それは、ビーチで泳ぎ、砂だらけのサンダルのままで帰って来て、そのままシャワーを浴びることができるようにと、たくさんタオルが準備されていました。それを見て、「リゾート料金」とは、このことと納得しました。ハワイの二日目、三月九日（金）は、午前中に予定がなく、ゆっくり海水浴を楽しむ、そんな時間もありました。

お昼前から、アラモアナ・ショッピングセンターのいちばん西の端にある「ケズー放送局」に向かいました。途中いろいろな人に道を聞きながら行きましたが、最近始めた英会話の実践の機会として、とてもよいときでした。

ケズー放送局を見つけ、ほっとした後、ショッピングセンターの中のファーストフードの店で、「ロコモコ丼」を食べました。目玉焼きの黄身が、日本と違って真っ黄色でびっくりしました。後で、冬木先生にお聞きすると「たぶん、日本と飼料が違うのだと思います」とのことでした。

午後二時四五分から一五分間の「心に光を」の番組に、正木牧人先生とご一緒に出演しました。改めて、驚いたのは、日本と違い、ライブであるということでした。

さらに驚いたことは、冬木先生が、明日の支援者大会の開始時間を（午後二時半であるのに）三時と言い間違えてしまい、放送の時間が過ぎているのに、訂正のアナウンスをし、アナウンサーの方が、何ごともなかったかのように、「ただいま、三時一分です」と言って、次の番組に進んで行かれたことでした。

このいい加減さが、ハワイらしくて、いい感じでした。

（二〇一八・三・一五）

ハワイ訪問——その四

一〇日（土）は、ハワイの「心に光を」連合会理事会に陪席させていただきました。ハワイの超教派の教会の先生方が、ざっくばらんに語り合い、協力し合いながら、働きを進めておられる姿が印象的でした。

その交わりの中で、昨日、冬木先生が支援者大会の開始時間をまちがえてしまったとき、メールでまちがいを知らせてくださったのが、連合会のメンバーでもある石渡先生であった、ということを知りました。

理事会後、冬木先生に食事に連れて行っていただきました。その日のお昼は、日本では、こんなにお肉がいっぱい入っていることは考えられない「オックステールスープ」でした。石渡先生、同じく理事会のメンバーである高木先生もご一緒してくださり、楽しい食事の交わりのときをもちました。

その中で、石渡先生が、最近、ホノルルで始められた集会のお話をお聴きすることができました。石渡先生が牧会しておられる教会は、パールハーバーがすぐ近くにあるパルシティーの教会である、ということでした。

その教会で、朝の礼拝の奉仕をした後、夕方、ホノルルに出て来て、もう一つ、未信者向けの伝道的な集会をするように導かれておられる、とのことでした。その集会に、いつも出席してくださる男性の方がおられるとのことでした。

その方の奥様は、日本人で石渡先生が奉仕する日本語礼拝に参加しておられるクリスチャンの方です。その方ご自身はアメリカ人で「日本語はそれほど…」という方のようです。でも、ほとんど、毎週、日曜夕方のその集会に出席されるその方が、集会で担っている一つの役割があるのだそうです。

集会の前に、お祈りをし、「ハレルヤ」とみんなで声を合わせてその集会を始めるのだそうですが、その「ハレルヤ」を最初に言うのがその方の役割となっているのだそうです。

お互いの個性と賜物を尊重し合いながら、協力し合い、愛し合いながら神の国の前進のために、奉仕しておられるハワイのクリスチャンのみなさんの、その姿が印象的でした。

「体は一つでも、多くの部分から成り、体のすべての部分の数は多くても、体は一つであるように、キリストの場合も同様である」（Ⅰコリント一二・一二）。

（二〇一八・三・一五）

ハワイ訪問——その五

今回、冬木先生とお話をしているうちに、前回ハワイに来たときも、冬木先生は、わたしと同じ大学の出身だということを、お聞きしたことを思い出しました。わたしは、大学の学園祭で、聖書研究会から聖書を受け取ったことが、教会につながるきっかけとなりました。

なんとその聖書研究会の創設者のお一人が、冬木先生であるということでした。もし、冬木先生の存在がなかったら、今のわたしはないのです。そういう意味で、冬木先生は、わたしにとって「命の恩人」と言える人であるのでした。

三月一一日（日）は、冬木先生が牧会をする、インターナショナル・ジャパニーズ教会で、八時半からと一〇時半から、二回の礼拝で説教のご奉仕をさせていただきました。

ハワイに駐在しておられる方で、子どもに日本語に触れさせたいとの願いから、教会に来ておられる方も多いとのことでした。やはり習慣や言語も違うハワイでのこと、そのような動機とともに、深いところで魂の求めを持っておられる方も多く、また、ノンクリスチャンの方が多い、日本の教会にはない開放的な雰囲気がありました。わたし自身引き出され、とても恵まれた礼拝となりました。

午後からは、ハワイの「心に光を」の支援者大会に参加。その後、この方も連合会のメンバーのお一人である中村先生と、その奥様が関わっておられる別のラジオ番組に出演しました。

その番組は、韓国の教会が時間とお金を提供して、ハワイ在住の韓国人と日本人が、ハワイの日本人伝道にどのようなことが起こっているかを、知ることができる番組であるということでした。

わたしが、日本の放送の現状をお話し、経済的な事情により打ち切りとなった山陰放送が、地元の教会の協力により再開したことを話すと、とても感動しておられました。

短い訪問でしたが、わたし自身、とても励まされ、恵みをいただく訪問となりました。今後も、ハワイの「心に光を」と、神戸の「心に光を」とがいろいろなかたちで協力することができれば、そのような幻を与えられる訪問となりました。

（二〇一八・三・一五）

真の礼拝

こういうわけで、兄弟たち、神の憐れみによってあなたがたに勧めます。自分の体を神に喜ばれる聖なる生けるいけにえとして献げなさい。これこそ、あなたがたのなすべき礼拝です。あなたがたはこの世に倣ってはなりません。むしろ、心を新たにして自分を変えていただき、何が神の御心であるか、何が善いことで、神に喜ばれ、また完全なことであるかをわきまえるようになりなさい。わたしに与えられた恵みによって、あなたがた一人一人に言います。自分を過大に評価してはなりません。むしろ、神が各自に分け与えてくださった信仰の度合いに応じて慎み深く評価すべきです。というのは、わたしたちの一つの体は多くの部分から成り立っていても、すべての部分が同じ働きをしていないように、わたしたちも数は多いが、キリストに結ばれて一つの体を形づくっており、各自は互いに部分なのです。わたしたちは、与えられた恵みによって、それぞれ異なった賜物を持っていますから、預言の賜物を受けていれば、信仰に応じて預言し、奉仕の賜物を受けていれば、奉仕に専念しなさい。また、教える人は教えに、勧める人は勧めに精を出しなさい。施しをする人は惜しまず施し、指導をする人は熱心に指導し、慈善を行う人は快く行いなさい。（ローマ一二・一～八）

これまでのキリストを信じて救われるとは、という教理の部分を受けて、キリストによって救われた者としていかに生きるべきか、という実践の部分に入っていくのが、今日の箇所「キリストにおける新しい生活」と表題のつけられているところです。

礼拝の生活

「キリストにおける新しい生活」それは、どのような生活、歩みなのでしょうか。「こういうわけで、兄弟たち、神の憐みによってあなたがたに勧めます。自分の体を神に喜ばれる聖なるいけにえとして献げなさい。これこそ、あなたがたのなすべき礼拝です」（一二・一）と言われています。

第一に「キリストにおける新しい生活」それは礼拝の生活、神様を礼拝して歩む生活であるということが言われています。この一節の最後の部分ですが、以前の口語訳聖書では、「それが、あなたがたのなすべき霊的な礼拝である」となっていました。

新共同訳では「これこそ、あなたがたのなすべき礼拝です」と、「霊的な」ということばを取って、「なすべき」ということばを残している、ということが分かります。

原文の聖書ではどうなっているかというと、「ロゴスにかなう礼拝」という表現になっています。「ロゴス」というのは、英語で論理ということを意味する、ロジックということばがありますが、そのことばもこのロゴスということばから来たと言われています。「ロゴスにかなう礼拝」それは、論理に適った礼拝、筋道が通った礼拝、といった意味になるでしょうか。

また、英語の聖書で、このところを見ると「リーズナブルな礼拝」という風になっています。「リーズナブル」というと、「安い」とか、「格安な」とか、そういう意味で使われることが多いのですが、もともとの意味は、「理に適った」とか、「納得のいく」とかいう意味のことばです。そのようなところから、「当然なすべき礼拝です」という意味で、「なすべき」ということばが入ったということです。

そして、もう一度、原文の聖書で「ロゴスにかなう礼拝」となっているということに戻って、「ロゴス」というとき、それは、ヨハネによる福音書で、「初めに言があった。言は神と共にあった。言は神であった」とある「言」というのが、この「ロゴス」なのです。

わたしたち人間は、その探求によって、この世界、宇宙を造られたお方、創造主なるお方を見出すことはできません。また、その方に到達することはできません。そのわたしたちのところに、神が人となって来てくださった。それが、あのイエス・キリストのできごとであったということです。

九月の月報で、八月に天に召された佐々木恵美子さんの、お証しを載せています。恵美子さんは、六甲にお住まいでしたが、震災で転居を余儀なくされ、導かれて、枚方の地へと越して行かれました。そして、枚方の地で、これも不思議な導きなのですが、いろいろな出会いを通して、盲人の方や聾者の方とともに生きる者となりたい、という思いが起こされ、「手と手とハウス作業所」を立ち上げて行かれました。

「視力障害の方、聴力障害の方に伝わることばを持ちたいと一生懸命、点字や手話を勉強していました。そのようなことと、キリストが『言』と言われていることとが結びついて、ヨハネによる福音書が愛唱聖句になったのだと思います」と、そんな風に妹さんはおっしゃっておられました。

イエス・キリストが、神と人とをつなぐ言として来られたように、佐々木さんは、視力障害者、聴力障害者と通じることができることばを持ちたい、と思われたということです。ということで、ロゴスにかなったとは、筋道が通ったということであり、筋道が通ったことば、それが、ロゴスであるということです。

さらに、筋道が通ったというとき、それは、偽りであってはなりません。ですから、真理ということも、ロゴスということばで言い表すようになりました。そして、真理というときに、どのような真理であるのかというと、それは、宗教的な真理を表す、それが、ロゴスということばでした。

そういう意味で、口語訳聖書では、「霊的」ということばを付け加えたのでした。さまざまな宗教があって、人間に、恍惚状態、いわゆる、エクスタシーの状態を経験させて、その宗教を信じさせようとする、そんな宗教もあります。

キリスト教会においても、オーケストラのような音楽、最高の音響、最高の照明、笑い泣かせる説教、エンタテインメントのような礼拝を追求しようとする教会もあります。もちろん礼拝を整える、ということはたいせつです。けれども、ほんとうの意味で「霊的な」礼拝、それは、神のことば、みことばが語られ、聖礼典が正しく行われている礼拝ということであるのです。

ということで、「キリストにおける新しい生活」、それは礼拝の生活、神様を礼拝して歩む生活である。そして、その礼拝、それは、わたしたちがなすべき礼拝であるということです。わたしたちが、礼拝する、それは、理に適ったことである。そのことを今日第一に覚えたいと思います。

わたしが、教会に行き始めたころ、わたしを導いてくださった正木茂牧師は「前川君、時計がぽんと砂漠の中にほおっておかれていたら、時計としての用をなすだろうか。それは、時計としての用をなすことはできないんだ。時計は、人間に使われるように作られた。だから、人間の腕にはめられて、初めて時計としての用をなすことができる。同じように、わたしたち人間は、わたしたちを造ってくださった神様との交わりに生きるようにと神様によって造られた。

だから、神様を礼拝し、神様と交わるということは、本来的なことであり、自然なことなんだ。そのわたしたちが、造り主である神様に背を向けて、自分勝手に生きているとしたら、それは、ちょうど時計が砂漠の中にほおっておかれているようなものなんだ…」と、そんな風に教えてくださいました。

世の人は、「クリスチャンは、日曜ごとに教会に行って、奇特なことだ」と言われるかもしれません。けれども、信仰を与えられたわたしたちにとって、それは本来的なことであり、自然なことであり、理に適ったことなのです。

イエス・キリストをわたしの救い主と信じ、このキリストの父なる神をわたしの神として歩んで行こう、そのように決断した。選び取ったのです。もちろん、それは自分の力ではなく、神様の憐みであり、聖霊の働きではありますが、そのように歩み出した、それが、わたしたちであり、それが「キリストにおける新しい生活」であるということです。

変えていただく必要

第二に「あなたがたはこの世に倣ってはなりません。むしろ、心を新たにして自分を変えていただき、何が神の御心であるか、何が善いことで、神に喜ばれ、また完全なことであるかをわきまえるようになりなさい」(一二・二)。

「むしろ、心を新たにして自分を変えていただき」と言われています。イエス・キリストをわたしの救い主と信じ、このキリストの父なる神をわたしの神として歩んで行こう、そのように神様の憐みを受け、聖霊の働きを受けて歩み出した、それがクリスチャンです。

でも、わたしたちは、繰り返し繰り返し、その原点に立ち返り、立ち返って行くことが必要です。それは、わたしたちがいつもいつもこの世的な価値観にさらされているからです。それは、絶えず絶えず、わたしたちの古い人、自我が頭をもたげて来るからです。

八月に、原先生が中高科クラスでお話くださいましたが、そのとき、ウィンテル先生のこんなことばを紹介してくださいました。

「神様は、わたしたちが結ぶ実を見せられない。なぜなら実を見ると、わたしたちは自分でそれを食べてしまうから。」おもしろいことばだと思いました。

逆に言えば、わたしたちは、「自分でそれを食べてしまう」、すなわち自分を誇りとしてしまう弱さと罪を持っているということです。わたしたちは、繰り返し繰り返し、その原点に立ち返って行くことが必要です。

それは、わたしたちがいつもこの世的な価値観にさらされているからです。それは、絶えず、わたしたちの古い人、自我が頭をもたげて来るからです。そして、サタン、悪魔が巧みにわたしたちを本来あるべきところから引き離そう、引き離そうとしているからです。

八月（二〇一七年）に、正木茂先生が天に召されました。わたしも八月一七日、一八日と、前夜式、告別式に参列させていただきました。正木茂先生は「心に光を」のラジオ牧師として、各地の特別集会、修養会などで活躍し、また大阪の聴取者会から始まった集会を、北大阪ルーテル教会として設立、牧師として教会を導かれた先生でした。

さらに、六〇歳から、アメリカに渡り、各地に日本語キリスト教会を設立。七五歳で帰国された後も自宅を、コイノニア・オイコス「憩いの家」として開放し、多くの方々の魂を導かれました。

一七日の前夜式は、正木茂先生のご長男、牧人先生が説教をしてくださいました。「ヨハネ一五章一六節」のみことばから、イエス・キリストを信じ、従うことを通して多くの実を結ばれたという側面から、正木先生の生涯の上に現わされた神様の祝福を語ってくださいました。

一八日の告別式は、ご次男の直道先生が「ローマ六章三〜五節」のみことばから、「父・正木茂牧師は、多くの功績を遺したかもしれません。けれども、その功績によって天国に行けるわけではありません。自らが罪人であると認めて、イエス・キリストを救い主と信じ、洗礼を受けて、天国行きの切符を手に入れたのです。洗礼、それは古い罪の人のお葬式、そして神の子としての誕生日です。

でも、洗礼を受けたとしても、この地上においては、霊と肉との戦いを経験し続けます。そして、信仰生活が長くなればなるほど、その戦いは大きくなるのです。父は、人一倍、この戦いを経験した人だったと思います。その戦いに終止符を打つ、それが死のときです。そういう意味で、お葬式、それは、洗礼の成就のときなのです」というメッセージを語ってくださいました。

わたしたちも、同じです。洗礼を通して与えられた、すばらしい恵みを確認するとともに、その成就のときを目指し、立ち返り立ち返りして行く。それがクリスチャンの歩みである、ということです。

健全な思い

クリスチャンの歩み、それはキリストを信じ、そのキリストの父なる神を神として歩んで行こう、という神を礼拝して歩む歩みです。また繰り返し、その原点に立ち返り、立ち返って行く歩みです。

そして第三に「わたしたちに与えられた恵みによって、あなたがた一人一人に言います。自分を過大に評価してはなりません。むしろ、神が各自に分け与えてくださった信仰の度合いに応じて慎み深く評価すべきです」(三・三)と言われています。

わたしたちは、ともすると自分を過大に評価してしまいます。逆に、自分を過少に評価してしまいます。そうではなく、神様が与えてくださった、わたしとして健全に自分を評価し、自分に与えられているものを用いて奉仕し、あかしして行く、それが、クリスチャンの歩みであるということです。

この後、六節以降、「わたしたちは、与えられた恵みによって、それぞれ異なった賜物を持っていますから、預言の賜物を受けていれば、信仰に応じて預言し、奉仕の賜物を受けていれば、奉仕に専念しなさい。また、教える人は教えに、勧める人は勧めに精を出しなさい。施しをする人は惜しまず施し、指導をする人は熱心に指導し、慈善を行う人は快く行いなさい」と言われています。

念には念を入れて、パウロが言っている、という感じです。どうして、このような、くどい言い方をしているのでしょうか。それは、わたしたちが、横を見てしまうからです。人と比べてしまうからです。

復活の主は、ペトロに向かって、三度、「わたしを愛するか」とお尋ねになった後、「あなたは、若いころは、自分で帯を締めて、行きたいところへ行っていた。しかし、年をとると、他の人に帯を締められ、行きたくないところへ連れて行かれる」とおっしゃいました。

そのとき、ペトロは、ふと横を見ました。そうすると、イエスの愛しておられた弟子とありますから、ヨハネがそこにいました。「主よ、この人はどうなのですか」と聞くペトロに、イエス様は、「それは、あなたには関係ない。あなたは、わたしに従いなさい」とおっしゃいました。

わたしたちも、つい横を見てしまうのです。人と比べてしまうのです。そうではなく、神様が与えてくださったわたしとして、健全に自分を評価し、自分に与えられているものを用いて奉仕し、あかしして行く、それが、クリスチャンの歩みであるということです。

ある教会でのこと、年会のときに、ある人が、「この教会にはこんな問題がある、あんな問題もある。ちょうど、この教会は、あの窓のようなものだ」と言われることがありました。

その教会の建物は、明治時代に建てられた古い建物でした。あちこちガタが来ており、昔風の鎧戸がうまく締まらなくて、バタン、バタンと音を立てていました。その窓を指さして、その方は言われたのでした。次の朝早く、教会で物音がしますので、牧師が下りて行くと、一人の執事がその窓を直しておられるところでした。

牧師が近づいて行くと、その執事は、「わしゃあ、恥ずかしゅうて」とおっしゃったそうです。この執事の方は、年会でのその発言を聞いて、「恥ずかしい」と思われたのです。そして、次のステップとして、自分にできることとして、その窓の修繕をしようと思い立たれたのでした。すばらしいお話だと思います。

どの教会にも、それが地上の教会である限り、欠けがあります。その批判をすることは簡単です。そして、その欠けに気づいたとき、その批判する人と一緒になって、そうだそうだと言うこともできます。また、逆に、落ち込んでしまうこともできます。けれども、そうではなく、自分にできることで、その欠けを補って行こう、と自分を献げて行く、そのような生き方へと、神様はわたしたちを招いておられるのです。

クリスチャンの歩み、それは、キリストを信じ、そのキリストの父なる神を神として歩んで行こうという、神を礼拝して歩む歩みです。また繰り返し、その原点に立ち返り、立ち返って行く歩みです。そして健全な思いをもって自分を評価し、自分に与えられているものを用いて奉仕し、あかしして行く歩みです。

もう一度、一部をお読みします。「こういうわけで、兄弟たち、神の憐みによってあなたがたに勧めます。自分の体を神に喜ばれる聖なるいけにえとして献げなさい。これこそ、あなたがたのなすべき礼拝です」わたしたちは、キリストの十字架に表された神の憐みによって、そのように歩むようにと招かれているのです。

（二〇一七・九・一七）

偽りのない愛

愛には偽りがあってはなりません。悪を憎み、善から離れず、兄弟愛をもって互いに愛し合い、尊敬をもって互いに相手を優れた者と思いなさい。怠らず励み、霊に燃えて、主に仕えなさい。希望をもって喜び、苦難を耐え忍び、たゆまず祈りなさい。聖なる者たちの貧しさを自分のものとして彼らを助け、旅人をもてなすよう努めなさい。あなたがたを迫害する者のために祝福を祈りなさい。祝福を祈るのであって、呪ってはなりません。喜ぶ人とともに喜び、泣く人と共に泣きなさい。互いに思いを一つにし、高ぶらず、身分の低い人々と交わりなさい。自分を賢い者とうぬぼれてはなりません。だれに対しても悪に悪を返さず、すべての人の前で善を行うように心がけなさい。できれば、せめてあなたがたは、すべての人と平和に暮らしなさい。愛する人たち、自分で復讐せず、神の怒りに任せなさい。「『復讐はわたしのすること、わたしが復讐する』と主は言われる」と書いてあります。「あなたの敵が飢えていたら食べさせ、渇いていたら飲ませよ。そうすれば、燃える炭火を彼の頭に積むことになる。」悪に負けることなく、善をもって悪に勝ちなさい。
（ローマ一二・九～二一）

今日の箇所は、「キリスト教的生活の規範」と題のつけられている部分です。特にここで強調されていること、それは、「愛」ということです。実は、先回学んだ箇所の後半に、「賜物」ということが語られていました。

「わたしたちは、与えられた恵みによって、それぞれ異なった賜物を持っていますから、預言の賜物を受けていれば、信仰に応じて預言し、……」（ローマ一二・六）と続いています。パウロは、そこにおいて、健全に自分を評価し、自分に与えられているものを用いて奉仕しなさい、と勧めているということでした。

そして、それに続いて、今日の箇所、「愛」ということが語られているということ。このことについて、信仰歴の長い方であれば、何か思い出すことがあるのではないでしょうか。

そうです。コリントの信徒への手紙一二章において、賜物ということが語られ、「もっと大きな賜物を受けるよう熱心に努めなさい」とパウロが語り、一三章の愛の章へと進んで行くということです。このローマ書一二章は、そのコリントの信徒への手紙に対応しているということです。

パウロは、健全に自分を評価し、自分に与えられているものを用いて奉仕しなさい、と勧めました。そして、その完成として、「愛」を追い求めなさい、とここでも語っているということです。

ということで、今日の箇所を通して「愛」ということ、キリストを信じる者が愛に生きるということ、それは、どのようなことであるのか、ということを読み取って行きたいと思います。

先手の愛

まず「兄弟愛をもって互いに愛し、尊敬をもって互いに相手を優れた者と思いなさい。怠らず励み、霊に燃えて、主に仕えなさい」（一二・一〇〜一一）と言われています。ここで、「優れた者と思いなさい」ということばですが、相手がこちらに名誉を与えてくれるより先に、こちらが先手を打って相手に名誉を与えなさい、という意味のことばが使われています。パウロが語っている「愛」それは、第一に、「先手の愛」ということです。

旧約聖書に、アブラハムの息子のイサクのお嫁さん探しに、僕(しもべ)が遣わされたという物語があります。僕が、目的の地アラム・ナハライムにたどり着いたとき、「神様、ご覧のように、わたしは泉の傍らに立っています。この町の娘が水を汲みに来たとき、『どうか、水を飲ませてください』と頼んでみます。その娘が、『どうぞ、お飲みください。ラクダにも飲ませてあげましょう』と、言うなら、その娘こそ、主人アブラハムのご子息イサク様の嫁とお決めになったものとさせてください」と祈ります。

やがて、おあつらえ向きに、美しい娘が水を汲みに来ます。僕が内心の動揺を抑えながら、「水を飲ませてください」と頼むと、その娘は、僕に水を与えてくれるのみならず、らくだのためにも水を汲んでくれます。今のような蛇口をひねったら、水が出てくる時代ではありません。

また、ラクダという動物は、びっくりするくらいの量の水を飲みます。家庭のバスタブ一杯分くらいの水は平気で飲んでしまいます。井戸まで下りて行って、水を汲み、上がって来て桶に水をあける。その作業を、甲斐甲斐しく繰り返すその姿に、「この人こそ、主人アブラハムのご子息・イサク様の嫁としてふさわしいお方」と僕は確信するという物語です。

パウロがここで語っているのも、強いられてではなく、先手を取って愛する愛ということです。「尊敬をもって互いに相手を優れた者と思いなさい」そして、その後、「怠らず励み」ということも言われています。

この「励み」ということばですが、英語で言う「スピード」ということばのもとになることばが、使われています。「怠らず」「だらだらしないで」「スピーディーに」与えられた仕事をする、それが、愛であるということです。

今日では、逆に、仕事をどんどんこなして行く、それは人間疎外の素である。むしろ、おしゃべりしながら、温かい対人関係を大切にしながら仕事をする、それが愛である、といった考え方もあります。

けれども、イエス様は「ごく小さな事に忠実な者は、大きな事にも忠実である。ごく小さな事に不忠実な者は、大きな事にも不忠実である」とおっしゃいました。仕事さえだらだらとしかできない人に、どうしてもっとたいせつな人格のことがらに関わることができようか。そのように、イエス様はおっしゃったということです。

パウロが、ここで勧めている愛、それは先手の愛、だらだらしないで、スピーディーに、なすべきことを行っていく行動的な愛ということです。

思いやる愛

第二に「聖なる者たちの貧しさを自分のものとして彼らを助け、旅人をもてなすよう努めなさい。あなたがたを迫害する者のために祝福を祈りなさい。祝福を祈るのであって、呪ってはなりません。喜ぶ人と共に喜び、泣く人と共に泣きなさい」（一二・一三～一五）ということが言われています。

人の痛み、悲しみ、苦しみを自分のことのように思いやる、共有する、それが愛であると、ここでパウロが言っているということです。貧しい人々がいる。それならこんな風に陳情したらよいとか、こんな風に慈善募金を集めたらよいという風に、頭で考えるのでなく、まず、心で自分のこととして、その辛さ、痛み、悲しみを共有することが大切であるということです。

そのような「思いやる愛」ということを思い巡らす中、あの宮沢賢治の「アメニモマケズ」という詩が思い浮かびました。

雨にも負けず　風にも負けず　雪にも　夏の暑さにも負けぬ　丈夫なからだをもち　慾はなく　決して怒らず　いつも静かに笑っている　一日に玄米四合と　味噌と少しの野菜を食べ　あらゆることを自分を勘定に入れずに　よく見聞きし分かり　そして忘れず　野原の松の林の陰の小さな萱ぶきの小屋にいて　東に病気の子供あれば　行って看病してやり　西に疲れた母あれば　行ってその稲の束を負い　南に死にそうな人あれば　行ってこわがらなくてもいいといい　北に喧嘩や訴訟があれば　つまらないからやめろといい　日照りの時は涙を流し　寒さの夏はおろおろ歩き　みんなにでくのぼーと呼ばれ　褒められもせず　苦にもされず　そういうものに　わたしはなりたい。

実は、ずいぶん前のことになりますが、女優であり、クリスチャンでもある長岡輝子さんが、幼いころに過ごした盛岡に帰り、自分がかつて勉強した小学校の子どもたちに授業をするというテレビの番組がありました。

その中で、長岡さんがこの「アメニモマケズ」の詩を朗読されました。まず、この詩の朗読をするのに、悪い朗読の仕方、その見本ということを披露されました。それは、言わば教訓のように、お説教のように読んで聞かせる朗読の仕方でした。

そのような朗読をした後で、「そういう読み方をして、宮沢賢治という人はとてもいやらしい、道徳的な、お説教好きの人間であったかのように誤解してしまっている人が多い。そして、宮沢賢治を嫌うようになった人がたくさんいる」そんなことをおっしゃっていました。そして、それに続けて、こんなことをおっしゃっていました。

「この詩は、高い所から、こういう人間にならなければならないというような読み方ではなく、むしろ低い所に立って、ごく素朴なひとりの人間が、自分のことばで、自分の生活の中で、自分の存在の中で、このことばを読み、朗読する。そんな詩なんです」と。さらに長岡さんは、こうもおっしゃっていました。

「この詩は、祈りです」雨にも負けない、風にも負けない、だれかが喧嘩をしていたら、かけつけて行って、そんなみっともないこと、つまらないことはよせと言う、でくのぼうだと言われても自分はこのように生きたいと言う。それは、高い所に立っているのではなく、低い所にいる人間のうめきのような願いであり、祈りであるということです。

「そういうものに　わたしはなりたい」パウロが、ここで勧めている愛、「思いやる愛」、それは、まさに、この「アメニモマケズ」に表されているような愛であるということです。「あなたがたを迫害する者のために祝福を祈りなさい。祝福を祈るのであって、呪ってはなりません。喜ぶ人と共に喜び、泣く人と共に泣きなさい」（一二・一四～一五）と言われています。これは「迫害する者」とありますから、教会の外の人に対して、一五節の「喜ぶ人と共に喜び、泣く人と共に泣きなさい」というのは、教会の中の人に対しての生き方が教えられている。そんな風に解釈する方もおられます。

けれども、全体の文脈を見るときに、そうではない、ということが分かります。わたしたちは、教会の中にいる人に対しても、外にいる人に対しても、あの「アメニモマケズ」の詩に出て来る人物のように、「喜ぶ人と共に喜び、泣く人と共に泣く」者となって行く。そのように召されているということです。

偽りのない愛

パウロが、ここで勧めている愛、それは「先手の愛」であり、「思いやる愛」です。そして第三に、パウロが勧めている、それは、「偽りのない愛」ということです。この「愛には偽りがあってはなりません」というところを、原文の聖書で見ると、動詞がなく、「愛は非偽善的」そんな表現となっています。

「偽善」とは、何でしょうか。それは、お芝居をする役者がマスクをしたり、衣装をまとったりして、自分とは別の人格を演じるということがありますが、それを道徳的には「偽善」と訳したのです。ですから、ことば通りに言うと、「愛はお芝居ではない」ということになります。

聖書の中に、イエス様がレプトン銅貨二枚を献げたやもめの女性の信仰を、おほめになったというできごとが記されています。レプトン銅貨というのがどれくらいの金額だったか聖書の資料を見ると「最小の銅貨、一デナリオンの一二八分の一」となっています。一デナリオンというのは、当時の一日の労賃ですから、分かりやすく、一万円とし、これも分かりやすく、一〇〇分の一とすると一〇〇円、レプトン銅貨二枚ですから、二〇〇円ということになります。決して大きい金額ではありません。

でも、それは、有り余る中から献げたものではなく、彼女の生活費全部でした。もちろん、毎日このような献げ物をしていたかというとそれはそうではありませんでした。この女性が、家族を顧みない狂信的な信仰の持ち主であったとすれば、イエス様は、この女性の信仰をおほめにはならなかったでしょう。

この日、この時たまたま、示されて、彼女は、このような献げものをしたということでした。金額としては、わずかな金額、また、たまたまこの日このとき献げた女性の献げる行為をどうしてイエス様はおほめになったのでしょうか。それは、その前に、対比するように記されている当時の律法学者、宗教的指導者の姿と比較するとよく分かります。

イエス様は、「彼らは、長い衣をまとって歩き回ることや、広場で挨拶されること、会堂では上席、宴会では上座に座ることを望み、また、やもめの家を食い物にし、見せかけの長い祈りをする。このような者たちは、人一倍厳しい裁きを受けることになる」とおっしゃいました。

律法学者、当時の宗教的指導者たち、彼らは、心と行い、心と生活とがまったく裏腹な偽善者でした。それに対して、このやもめの女性の信仰、それは、心と行いとがぴったりと一致した信仰でした。そのまっすぐな信仰をイエス様は、おほめになったのでした。

パウロが勧めている愛、それは、「先手の愛」「思いやる愛」「偽りのない愛」でした。そのように教えられるとき、それに対してわたしたちの内にはどんな反応が起こって来るでしょうか。「すばらしい」と思いつつ、「でも、自分のような者には……」という後ずさりするような思いが起こって来たとしても、それは当然のことだと思います。

パウロが「神の憐みによってあなたがたに勧めます」(一二・一)と言っているように、

それは、神の憐みによってわたしたちはそのように生きることができるのです。「先手の愛」「しかし、わたしたちがまだ罪人であったとき、キリストがわたしたちのために死んでくださったことにより、神はわたしたちに対する愛を示されました」（ローマ五・八）です。わたしたちが、神を愛する前に、いや神に敵対していたときに、現された、それが神の愛であり、キリストの十字架の愛でした。

「思いやる愛」飼い主のいない羊のような群衆のありさまを見て、深く憐れみ、その憐みに動かされるようにして、十字架への道を歩んでくださった、それが、イエス様の歩みでした。

「偽りのない愛」十字架上において、イエス様は、「父よ、彼らをお赦しください。自分が何をしているのか知らないのです」と祈られました。十字架の死に至るまで、その愛を全うされた。イエス様の愛こそ、偽りのない愛。真実の愛でした。このイエス様の愛を受けて、わたしたちは、「先手の愛」「思いやる愛」「偽りのない愛」に生きる者としていただくことができるのです。

先ほど、宮沢賢治の「アメニモマケズ」の詩をご紹介しました。実は、あの詩の中に出て来る人物のモデルは、斎藤宗次郎というクリスチャンでした。彼は、その信仰ゆえに馬鹿にされ、さげすまれ、のけ者にされました。それでも、あの詩にあるような愛の人として歩んだのでした。

やがて、恩師である内村鑑三の招きにより、宗次郎は、花巻を去る日がやって来ました。だれも見送りに来ていないと思っていた駅に行ってみると、そこには町長はじめ町の有力者、学校の教師、生徒、神主、僧侶、一般人や物乞いに至るまで身動きが取れないほどの人が集まっていました。

駅長は、停車時間を延長したというエピソードも残っているようです。そして、その群衆の中に、若き日の宮沢賢治もいたのでした。

「そういう人にわたしはなりたい」と言った宮沢賢治は、斎藤宗次郎という一人のクリスチャンを通して、キリストを見ていたのでした。神のあわれみによって、十字架にあらわされた神のあわれみによって、わたしたちもこの愛に生きる者と、一歩一歩、歩ませていただきたいと思います。

（二〇一七・九・二四）

知識と愛

偶像に供えられた肉について言えば、「我々は皆、知識を持っている」ということは確かです。ただ、知識は人を高ぶらせるが、愛は造り上げる。自分は何か知っていると思う人がいたら、その人は、知らねばならぬことをまだ知らないのです。しかし、神を愛する人がいれば、その人は神に知られているのです。そこで、偶像に供えられた肉を食べることについてですが、世の中に偶像の神などはなく、また、唯一の神以外にいかなる神もいないことを、わたしたちは知っています。現に多くの神々、多くの主がいると思われているように、たとえ天や地に神々と呼ばれるものがいても、わたしたちにとっては、唯一の神、父である神がおられ、万物はこの神から出、わたしたちはこの神に帰って行くのです。また、唯一の主、イエス・キリストがおられ、万物はこの主によって存在し、わたしたちもこの主によって存在しているのです。しかし、この知識がだれにでもあるわけではありません。ある人たちは、今までの偶像になじんできた習慣にとらわれて、肉を食べる際に、それが偶像に供えられた肉だということが念頭から去らず、良心が弱いために汚されるのです。わたしたちを神のもとに導くのは、食物ではありません。食べないからといって、何かを失うわけではなく、食べたからといって、何かを得るわけではありません。ただ、あなたがたのこの自由な態度が、弱い人々を罪に誘うことにならないように、気をつけなさい。知識を持っているあなたが偶像の神殿で食事の席に着いているのを、だれかが見ると、その人は弱いのに、その良心が強められて、偶像に供えられたものを食べるようにならないだろうか。そうなると、あなたの知識によって、弱い人が滅びてしまいます。その兄弟のためにもキリストが死んでくださったのです。このようにあなたがたが、兄弟たちに対して罪を犯し、彼らの弱い良心を傷つけるのは、キリストに対して罪を犯すことなのです。それだから、食物のことがわたしの兄弟をつまずかせるくらいなら、兄弟をつまずかせないために、わたしは今後決して肉を口にしません。

（Ⅰコリント八・一～一三）

コリントの教会とは、どんな教会だったのでしょうか。コリントの教会、それは、ひと言で言うと問題だらけの教会でした。

コリントの町は、地中海沿岸を支配していたローマ帝国に属し、アカヤ州に属する州都でした。港町であり、陸の交通の要所でもありました。ですから、海からも陸からもたくさんの人が行き来する繁栄した商業都市であり、人口は六〇万人くらいの、当時としては、エフェソとならぶ非常に大きな都市でした。

また、コリントの町の小高い丘の上には、「愛と火の女神の神殿」があり、その神殿には、神殿娼婦として、二千人ほどの女性が働いていました。

ですから、コリントの町は、道徳的に非常に堕落した町であり、当時の人々は、不品行を行うことを「コリント人のように振舞う」と言うほどであったと言われています。そんなコリントの町が持っている雰囲気が、そのまま教会の雰囲気にも反映されている、それがコリントの教会でした。

たとえば、分裂、分派という問題がありました。コリントの教会はグループができて、バラバラになってしまっていました。また結婚のことにおいても、教会員の中に重婚したり、姦淫を犯したりといった問題を起こしている信徒がいました。また教会の礼拝はどういう風にしたらよいかということも、問題になっていました。

あるいは、聖霊なるものはいるのかいないのかということ、いるならそれを受けたしるしは何なのかということ、また賜物とは何なのか、ということで大論争が巻き起こったこともありました。

さらに、死人の復活などあるのかという人もあり、イエスの復活ということについても、パウロは論じなければなりませんでした。このような厄介ないろいろの問題がある教会、それがコリントの教会でした。そして、その一つ一つの問題にていねいにパウロが答えている、それがコリントの信徒への手紙でした。

けれども、考えてみると、分裂、分派や、不道徳の問題、偶像の問題や聖霊の賜物などの問題、それは、今日の教会においても、たびたび現実の問題として直面する問題です。

ですから、逆に言えば、コリントの教会がそのような問題だらけの教会であったからこそ、コリント信徒への手紙が書かれたのです。そして、この手紙を通して今日のわたしたちは、さまざまな問題に対する示唆を与えられる、ということもできます。

けれども、もちろん、それは時間を経て、今そのようなことが言えるということです。しかし、当時のコリントの教会のクリスチャンたち、そのクリスチャンたちを指導しようとするパウロにとって「これが、ほんとうにキリストの教会なのか」と疑ったり、失望したりすることに事欠かない教会、それがコリントの教会でした。

今回ここで問題となっている、それは「偶像に供えられた肉」についてということでした。コリントの町は、異教の町でしたから、異教の神々に対する礼拝や祭りが多く行われていました。その礼拝や祭りが終わると、その偶像に供えられた生贄（いけにえ）の動物は、儀式を行った神官や祭司、宮司に分け与えられました。

さらに、祭りや礼拝に参列した人々にもお下がりとして分けられました。それでも、たくさんの肉が余りましたので、冷蔵庫も何もない時代のこと、残りは市場に持って行って売られました。買い取った人は、市場でまた人々に売るということが行われていました。

そこで、あるクリスチャンはこう考えました。

「偶像に供えられた肉を食べることによって、何か偶像の神と自分が関わりをもつことにはならないのでしょうか。自分の清らかな心が、そういうものを食べることによって、汚れてしまうということはないのでしょうか」そして、こう質問しました。

「たとえば、だれかの家に行ってご馳走になるとき、肉が出たらどうしましょうか。普通の肉か、偶像に供えられた肉か分からないときは、どうすればよいのでしょうか」

わたしたちも日本で生活するとき、さまざまな偶像に取り囲まれて生きています。その点で、このところで、パウロが言っていることは、わたしたち日本人にとって、とても身近な内容と言えるかもしれません。

さらにパウロは、「偶像に供えられた肉」という日常的な問題を取り上げながら、そこから、非常に深い信仰的な原則を導き出しています。

以前、ある方とお話したことがありました。仮にAさんとしましょう。Aさんは、ご家族が全員ある新興宗教を信じている、そんなご家庭から一人イエス・キリストを救い主と信じ、クリスチャンとなられた方でした。

そのようなことですから、実家に帰っても、だれも相手にしてくれません。あかしや伝道をするなんて、とんでもないことで、いろいろな迫害を受ける中で、信仰を守り抜いて歩んで来られました。

そんな中、Aさんのお父様が癌で、とても苦しんで亡くなられました。Aさんは「自分がイエス様を伝えていれば、もっと平安な死を迎えることができたかもしれない」と、ご自分を責めておられました。

そのお話をお聴きして、わたしは「Aさんが、そのような状況の中から、イエス・キリストを信じて歩み出した。それが、ご家族に対する大きなあかしだったと思いますよ」と申し上げました。そうすると、Aさんは「そんなこと、今まで考えたこともありませんでした」と言っておられました。

わたしたちも、さまざまな偶像に取り囲まれて生きています。異教社会の中で、クリスチャンとして生きています。ともすると、「このことをすることは、偶像に加担することになるのではないだろうか」とか、「このことをすれば、偶像の影響を受けてしまうのではないだろうか」とか、びくびくしながら生きることになってしまう、ということが起こり得ます。

また、先のAさんのように、自分のことを責めてしまうということも起こり得ます。そんな中で、わたしたちが信仰をもっていかに生きるか、その原則を教えてくれる、それがこの箇所と言うことができます。

知　識

「そこで、偶像に供えられた肉を食べることについてですが、世の中に偶像の神などはなく、また、唯一の神以外にいかなる神もいないことを、わたしたちは知っています。現に多くの神々、多くの主がいると思われているように、たとえ天や地に神々と呼ばれるものがいても、わたしたちにとっては、唯一の神、父である神がおられ、万物はこの神から出、わたしたちはこの神へ帰って行くのです。また、唯一の主、イエス・キリストがおられ、万物はこの主によって存在し、わたしたちもこの主によって存在しているのです」（四～六節）で「わたしたちは知っています」と言われています。それは、「知識を持っています」という意味のことばが使われています。わたしたちが異教社会の中で生き抜いて行くためにたいせつなこと、それは正しい知識を持つということです。

イエス・キリストは「わたしは道であり、真理であり、命である。わたしを通らなければ、だれも父のもとに行くことができない」（ヨハネ一四・六）とおっしゃいました。イエス・キリストというお方を通して、わたしたちは、神を正しく知ることができるのです。イエス・キリストを通して、神が、いかに聖なるお方であるか、罪を憎まれるお方であるか、ということを知るのです。そして、同時にいかに愛なるお方であるか、独り子キリストを賜うほどに、わたしたちを愛しておられるお方であるかを知るのです。

また、真の神が、この世界、宇宙を創造し、今もこの世界を保っておられる偉大なお方であるという事と共に、キリストのお名前によって祈り、人格的に交わることのできるお方であるということを知るのです。そして、イエス・キリストを救い主と信じることを通して、罪赦され、神の子とされ、天に国籍を持つ者とされるということを知り、また、そのことに与ることができるのです。

また、イエス様は、「あなたたちは真理を知り、真理はあなたたちを自由にする」（ヨハネ八・三二）とおっしゃいました。真理を知ることを通して、わたしたちは自由にされるのです。今まで、恐れ、敬っていた存在、でもそれは、恐れるべき存在ではないんだ、ということを理解し、解放され、自由にしていただくことができるのです。

あのアブラハムが神の御声を聴いて、ウルを旅立つ前にこんなことがあったと、ユダヤ教の伝承に伝えられています。アブラハムのお父さんのテラは、偶像を造る職人であったようです。ある日、テラが留守の間に、アブラハムは、いちばん大きな偶像だけを残して、ほかの偶像をすべて叩き割ってしまいます。

そして、残ったいちばん大きな偶像に木槌を握らせます。やがて、お父さんが帰って来て、その有様を見て、かんかんになって怒ります。そのお父さんに向かって、アブラハムは、「アバ、お留守の間に偶像同士が喧嘩をしました。この大きい奴が腹を立てて、木槌で他の奴らを叩き壊してしまったんです」と言いました。

そのときテラは、こう言います。「何をバカな。偶像に命や力があるはずがない」と。

そう自分で言って、自分でハッとする、そんなお話です。わたしたちは、イエス・キリストを通して、真理を知る。そして、真理によって、自由にしていただくことができるのです。

愛

第二に、「しかし、この知識がだれにでもあるわけではありません。ある人たちは、今までの偶像になじんできた習慣にとらわれて、肉を食べる際に、それが偶像に供えられた肉だということが念頭から去らず、良心が弱いために汚されるのです」という七節に注目したいと思います。

たとえば、偶像というものにとても縛られた中で、生きて来られた方がいたとします。そんな中から救われて、クリスチャンとなられた。もう偶像から解放されたと喜んでおられる。でも、そんな方の前で、クリスチャンが偶像に供えたものかもしれない肉を平気で食べていたとしたらどうでしょうか。

信仰の強い人が弱い人を見て、「あの人は弱いからしようがない。つまずくのは勝手だ。勝手につまずいたらいい」といった配慮のないことでよいのか、そんなことであるはずがない。それが、ここでパウロが言っていることである、ということです。パウロはこのように言っています。「偶像に供えられた肉について言えば、『我々は皆、知識を持っている』ということは確かです。ただ、知識は人を高ぶらせるが、愛は造り上げる」（八・一）と。

この異教社会の中で生き抜いて行くために、正しい知識を持つということはたいせつです。けれども、その知識を振り回すのでなく、その知識によって人を切って行くのでなく、愛によって生きるように、そうパウロは勧めているということです。

パウロはもちろん、食べてもかまわないことは知っていました。けれども、「自分が食べる様子を信仰の弱い人が見てつまずくかもしれない。だったらわたしは、もう肉は食べまい。自分に与えられている権利や自由を制限しながら、他の人のために生きていく」それが、パウロの生き方であり、わたしたちに求められている生き方であるということです。「少年よ、大志を抱け」ということばで有名なクラーク博士は、札幌農学校の初代の教頭となった方です。クラーク博士は、アメリカでは、お酒をたしなむ方であったようです。けれども、これから渡って行く日本は、まだ貧しく、お酒を飲むことによって家計がひっ迫、家庭が崩壊してしまうという現実があるということを知りました。

そして、そんな中、クリスチャンが中心になって禁酒運動が盛んに行われている、ということを聞かれました。それで、涙ながらにであったかどうか分かりませんが、お酒のボトルを全部太平洋の海に投げ捨てて、日本にやって来られたということです。

わたしたちは、正しい知識を持つということがたいせつです。けれども、その知識を振り回すのでなく、愛によって生きる、それが、わたしたちクリスチャンの生き方であるということです。

愛を受ける

では第三に、わたしたちは、どのようにして、そのような愛に生きることができるのでしょうか。そのような愛に生きるということ、それは具体的にはどのようなことなのでしょうか。それは、純粋に他の人のために生きる、それこそが愛に生きるということなのです。

そのような愛、それは、わたしたちの内からは出て来ません。それは、神の愛、キリストの愛を受けて、わたしたちはそのような愛に生きることができるのです。ですから、わたしたちが愛に生きる、それは、神の愛、キリストの愛を受けて、そのように生きることができるということです。

先日、関西学院大学教授で「死生学」を教えておられる藤井美和さんという方のお話を「VIP神戸集会」で聴くことができました。藤井さんは、バリバリの新聞記者として活躍していた二八歳のとき、突然の難病に襲われます。

何とか命はとりとめたものの、お医者さんから、「一生寝たきりか、半年後に車椅子か、どちらかです」と宣言されます。まばたきもできない、息もできない。そんな状態でリハビリを続ける生活が三年も続いたそうです。

そんな中、藤井さんのお母さんが毎日のように病室に来て、いっしょにいてくださったそうです。藤井さんのお母さんは、元来、明るい方で、ほかの人から「へらへらしている」と映るようなそんなお母さんだったようです。

あるとき、看護師長の方が、そんなお母さんを呼び止めて「お母さん、お嬢さんがどんな状態か、ほんとうに分かっておられますか」と問い詰めることがあったそうです。

そのとき、お母さんは、「はい、分かっています。でも、病気のことに関しては、わたしは何もできないんです。ただ、わたしは娘が大好きで、娘のそばにいることがうれしくてうれしくて、毎日病院に来ているんです」と言われたそうです。

藤井さんは、そのころ、毎日毎日、看護師の方の「がんばってね」とか、「きっとよくなるからね」とかいうことばを受けて過ごしていました。でも、そのようなことばは、看護師の方の自分の願いを投影することばでしかありませんでした。

しかし、藤井さんのお母さんは、娘をありのままの娘として、愛し、愛（いと）おしむ思いで毎日病院に来てくれていた、ということが分かったできごとでした。その看護師長さんも、逆に、「たいへん教えられました」とおっしゃったそうです。

愛に生きる、それは、パウロが他の人のために生きようとしたように、また、藤井さんのお母さんが娘を愛おしむ思いから、そばにいたいと思ったように、純粋に他の人のために生きる、それこそが愛に生きるということなのです。

そのような愛、それは、わたしたちの内からは出て来ません。藤井さんのお母さんのすばらしい愛、それは、お母さんがもともとすばらしい方だったことに加えて、やはり、神の愛、キリストの愛を受けて、そのように生きることができたのだと思います。

わたしたちは、知識を持つ、正しい知識を持つということがたいせつです。けれども、その知識を振り回すのでなく、愛によって生きるようにとわたしたちは、召されています。

そして、それは神の愛、キリストの愛を受けて、そのように生きるようにと、わたしたちは招かれているのです。

（二〇一八・一・二八）

栄光から栄光へと

このような希望を抱いているので、わたしたちは確信に満ちあふれてふるまっており、モーセが、消え去るべきものの最後をイスラエルの子らに見られまいとして、自分の顔に覆いを掛けたようなことはしません。しかし、彼らの考えは鈍くなってしまいました。今日に至るまで、古い契約が読まれる際に、この覆いは除かれずに掛かったままなのです。それはキリストにおいて取り除かれるものだからです。このため、今日に至るまでモーセの書が読まれるときは、いつでも彼らの心には覆いが掛かっています。しかし、主の方に向き直れば、覆いは取り去られます。ここでいう主とは、霊のことですが、主の霊のおられるところに自由があります。わたしたちは皆、顔の覆いを除かれて、鏡のように主の栄光を映し出しながら、栄光から栄光へと、主と同じ姿に造りかえられていきます。これは主の霊の働きによることです。

（Ⅱコリント三・一二〜一八）

今日の福音書の箇所は、イエス様が、ペトロとヤコブとヨハネという三人の弟子だけを伴って山に登られたときのこと、イエス様のお姿が光り輝くお姿に変わったという変貌山のできごとを記している箇所でした。

並行箇所では「栄光に輝くイエス」（ルカ九・二八～三六）という風に表現されています。イエス・キリストは、神が人となられたお方でした。それまで、イエス・キリストの神としての栄光は、人となられたその肉体に覆われて隠されていましたが、このとき、それが突如として輝き出たできごと、それが、この山上における変貌のできごとでした。

そして、今日の使徒書、コリント信徒への第二の手紙三章においても同じ栄光ということばが出て来ます。一八節、「わたしたちは皆、顔の覆いを除かれて、鏡のように主の栄光を映し出しながら、栄光から栄光へと、主と同じ姿に造りかえられていきます。これは、主の霊の働きによることです」（三・一八）と言われています。

ところで、ここで「顔の覆いを除かれて」ということに対応するように、「ところで、石に刻まれた文字に基づいて死に仕える務めさえ栄光を帯びて、モーセの顔に輝いたつかのまの栄光のために、イスラエルの子らが彼の顔を見つめえないほどであったとすれば」（三・七）ということが言われています。

ここでも、栄光ということばが使われています。モーセの顔の栄光の輝きに対して、イスラエルの民は、覆いを掛けてくれるよう願ったのです。けれども、言わば、栄光そのものであられるイエス様に対して、人々は、そのようなことは願わなかったのです。

むしろ、当時もっとも蔑まれていた人、見くだされていた人が喜んでイエス様に近づき、心を開いて行ったのです。この違いはどこにあったのでしょうか。そのことから、今日は解き明かして行きたいと思います。

モーセの顔の輝き

「モーセがシナイ山を下ったとき、その手には二枚の掟の板があった。モーセは、山を下ったとき、自分が神と語っている間に、自分の顔の肌が光を放っているのを知らなかった。アロンとイスラエルの人々がすべてモーセを見ると、なんと、彼の肌は光を放っていた。彼らは、恐れて近づけなかったが、モーセが呼びかけると、アロンと共同体の代表者は全員彼のもとに戻ってきたので、モーセは彼らに語った。その後、イスラエルの人々が皆、近づいて来たので、彼らはシナイ山で主が彼らに語られたことをことごとく彼らに命じた。モーセはそれを語り終わったとき、自分の顔に覆いを掛けた」（出エジプト三四・二九～三三）と記されています。

モーセの顔の輝き、それは、主なる神様との親しい交わりの中に入れられることを通して、神様の栄光の光を反映させて輝いた輝きでした。そして、それは、やがて、消えて行く栄光でした。モーセは、わたしたちと同じ人間ですから、やがてその栄光の輝きは消え、人間モーセに戻って行きました。

また、モーセは、自分の顔が輝いているのを知り、顔に覆いを掛けたということが言われています。それは、人々が、神の聖さに直面することを恐れたからでした。モーセの顔の輝き、それは、律法ということが象徴している神の正しさ、神の正義の輝きでした。ですから、人々は、恐れたのでした。そして、モーセは、自分の顔に覆いを掛けたのでした。

実は、今日も、このような輝きに生きるということがあり得ます。人から見て、とても立派である。ある意味、輝いている。けれども、なんとなく近寄りがたい。近寄ると、斬られるような気がする。裁かれるような気がする。そんな生き方です。聖書は、このことを律法的な生き方と言います。

自分は、聖書とか信仰とか関係ない、という方でも、この律法的な生き方になってしまうことがあり得ます。律法的な生き方、それは自分である線を引く生き方です。その線のこちら側はオーケー、向こう側はだめという風に線を引いて行く生き方です。

ですから、そういう人に近づくと、何となく斬られるような、裁かれるような恐れを感じます。また、そのような線を引いて、自分で自分を裁くということもあり得ます。できたときには、傲慢になります。できなかった時には、落ち込んでしまいます。そのように、優越感と劣等感の間を行ったり来たりする生き方、それが、律法的に生きる人の特徴です。

また、わたしたちクリスチャンも、この律法的なクリスチャンになってしまう可能性がいつもあります。それは、律法的な生き方というのは、自分に栄光をもたらす生き方であるからです。

自分が褒められるということを、求めない人はだれもいません。褒められたらうれしいものです。けれども、自分が褒められることが目的になってしまうなら、わたしたちは、手段を目的と取り違えてしまうことになってしまいます。

また、わたしたちクリスチャンもまた、律法的なクリスチャンになってしまう、それは律法的な生き方というのは、分かりやすいからです。ある人が、一つの質問をしました。「クリスチャンになったら、どんな風に生きたらいいんですか」と。それに対して、「それは、聖霊に従って歩めばいいのです」というのと、「一日に、最低、三〇分祈ることです。そして、聖書を、最低五章読むことです」というのと、どちらが分かりやすいでしょうか。

もちろん、後者です。そして、祈ることも、聖書を読むことも悪いことではありません。むしろ正しいことです。けれども、それが目的になってしまったら、それは、律法的なクリスチャンになってしまうのです。

キリストの輝き

モーセの顔の輝き、それは、神様の栄光の光を反映させる輝きでした。それは、やがて消えて行く輝きでした。それに対して、イエス様の輝き、それは、イエス様が神として本来持っておられた輝きであり、永遠から永遠にわたって消えることのない輝きでした。

けれども、そのような輝きを内に持っておられたお方でしたが、人々がモーセの顔に覆いを掛けてくれるように願ったと同じように、イエス様は人々が遠巻きにするようなお方だったかというと、そんなことはありませんでした。

むしろ、自らの罪に悲しむ人、心砕けた人が安心して近づき、心開くことのできる、そんなお方でした。そのことの象徴的なできごとが、姦淫の現場で捕らえられた女性が、イエス様の前に引き出されたできごと（ヨハネ八章に）でした。

人々は、鬼の首を取ったように、「この女をどう裁くのか」とイエス様に押し迫りました。イエス様が、「赦せ」と言えば、「それでは、あなたは、神の戒めをないがしろにするのか」と問い詰めることができるでしょう。「石で打て」と言えば、では、あなたの普段の愛の教えは偽りであるのか」と問い詰めることができます。どちらに転んでも、イエス様を窮地に追い込むことができると考え、彼らは、いよいよイエス様に言い募りました。

イエス様は、地面に何か書きつけておられましたが、あまりにも人々が言い募るので、やおら顔を上げて、おっしゃいました。「あなたがたの中で罪のない者が、この女性にまず石を投げよ」そう言って、また地面に何か書きつけておられました。

その間に、一人、また、一人と去って行き、その場には、イエス様とその女性二人だけが取り残されました。そのとき、イエス様は、またやおら顔を上げて、おっしゃいました。「だれもあなたを罪に定める者はいないのか。わたしもあなたを罪に定めない。行きなさい」と。

モーセの顔の輝き、それは、律法ということが象徴している神の正しさ、神の正義の輝きでした。もちろん、イエス様も正しいお方であり、正義のお方でした。自分を正しいとする人は、そのイエス様の完全な正しさの前に、自分の罪を示され、反発して行きました。けれども、イエス様からは、もう一つ、別の輝きが放たれていました。

それは、愛の輝き、救いの輝きでした。自分の罪にくずおれている人々、彼らは、そのイエス様の愛の輝き、救いの輝きに希望を見出し、立ち上がって行くことができたのでした。もちろん、それは、罪をなし崩しにして、赦し、愛する愛ではありませんでした。

今日の福音書の並行箇所であるルカによる福音書九章を見ると、イエス様とモーセとエリヤが話題にしていることの中心、それは、イエス様がエルサレムで遂げようとしておられるご最期、すなわち、十字架の死ということであった、ということが分かります。

今日の福音書は、イエス様の栄光が輝き出たできごとでしたが、その栄光ということを、イエス様は、わたしたちが考えもしないところに見ておられたということを、聖書を通して教えられます。

イエス様は、十字架の死を前にして、「今や、人の子は栄光を受けた」（ヨハネ一三・三一）とおっしゃったのでした。イエス様は、ご自分が十字架で死ぬということ、そして、そのことを通して、わたしたちに救いをもたらすということにご自身の栄光を見ておられたということです。

栄光から栄光へと

モーセの顔の輝き、そこにイスラエルの民は、律法ということが象徴している神の正しさ、神の正義の輝きを見ました。それに対して、イエス様は、ご自分が十字架で死ぬということ、そして、そのことを通して、わたしたちに救いをもたらすということに、ご自身の栄光を見ておられました。

そして、そのイエス様のお姿に、自らの罪を自覚する人々は、愛の輝き、赦しの輝き、救いの輝きを見出したのでした。

そして、わたしたちは、自分に栄光を帰して行く生き方、また線を引いて、人を、あるいは自分を切り刻んで行く生き方ではなく、愛し包み生かして行く、そんな愛の輝き、赦しの輝き、救いの輝きに生きる者となって行くようにと招かれているのです。

では、そのためには、どうしたらよいのでしょうか。「しかし、主の方に向き直れば、覆いは取り去られます」（Ⅱコリント三・一六）と記されています。

わたしたちは、ともすると、自分で自分を救おうとして、いろいろなものを積み上げようとしてしまいます。けれどもそうではなく、そのわたしたちがふり返ったところに、キリストの救いの手が差し伸べられているのです。

キリストが、わたしたちが救われるために必要なことをすべて成し遂げて、これを受け取りなさいと、救いの手を差し伸べてくださっているのです。わたしたちは、ふり返って、その救いを受け取ればよいのです。

また、一旦救いを受け取ったとしても、一週間の歩みの中で、また、わたしたちは、律法の歩みへと逸れて行ってしまうのです。もう一度、さらにもう一度、主に向き直ることが必要です。そのことを通して、「わたしたちは皆、顔の覆いを除かれて、鏡のように主の栄光を映し出しながら、栄光から栄光へと、主と同じ姿に造りかえられていきます。これは主の霊の働きによることです」と言われています。「栄光から栄光へと、主と同じ姿に造りかえられていきます」、これは、言うまでもなく、人間の栄光ではありません。

先日、以前、教会の信徒講座でもしました「人生の振り返り」を聖書学院の静まりの授業でしました。二人組で分かち合いのときをもちましたが、わたしの相手の方は、一五〜一八歳のころ、自分のことを「優しい人。愛の人」と思っておられたそうです。それが、現在はと言うと、「自分中心な人間。わがままな人間」と思っておられるとのことでした。

そして、十分成長し円熟したわたしは、やっぱり、「自分中心な人間。わがままな人間」だと思う、とお話しておられました。

わたしは、そのお話を聴きながら、この方も「栄光から栄光へと」歩んでおられると思いました。「栄光から栄光へ」、それは、人間の栄光ではありません。神の栄光が現れることです。そのためには、むしろ自分の小ささ、弱さ、無力さを、正しく知る必要があるのです。

自分の小ささ、弱さ、無力さを、正しく知り、そのわたしの救い主としておいでください、とお迎えするとき、イエス様は、聖霊様は、喜んで、わたしたちの内に住んでくださいます。そしてその輝きは、弱まることはないのです。

がんばって、努力して輝こうとするなら、やがて疲れるときがやって来ます。けれども、内に住んでくださるお方がイエス様であり、聖霊様である限り、その輝きは弱まることはないのです。

モーセの顔の輝き、それは神様の栄光の光を反映させて輝いた輝きでしたから、それは、やがて消えて行く栄光でした。それに対して、イエス様の栄光の輝き、それはイエス様ご自身が内に持っておられる輝きが、外に向かって輝き出たできごとでした。ですから、弱まることなく、輝き続ける輝きでした。

わたしたちは、自分に栄光を帰して行く生き方、また線を引いて、人を、あるいは自分を切り刻んで行く生き方ではなく、愛し包み生かして行く、そんな愛の輝き、赦しの輝き、救いの輝きに生きる者となって行くようにと招かれています。

そのためには、どうしたらよいのか。それは、主に向き直るということです。そして、それが、すなわち礼拝ということなのです。そして、そのことを通して、栄光から栄光へと、歩んで行くようにとわたしたちは招かれているのです。

（二〇一八・二・一一）

あとがき

「先生、三つのポイントはやめて、一つのポイントで説教してください。一つのポイントで、深い説教をしてください」

これは、わたしが青谷教会に赴任した当初、一人の信徒の方から言われたことばです。青谷教会は、礼拝を構成している信徒の方の年齢も聖書に対する理解も多様で、みなさんが何か一つでも持って帰れるようにと、たいてい三つのポイントで説教していました。

そのように言われて、「分かりやすく」ということと「深く」ということとの間でのわたしの葛藤が始まりました。そんな風に歩んで来たわたしに対して、冒頭の柏木先生のおことばは、少しでもそのような方向へと前進できたかな、と思わされる最高の誉めことばでした。

今回も、原稿選び、ならびに構成のために、赤穂教会の白石洋子さん、姫路教会の永田令先生、ノルウェー在住のリー・松井圭子さん、鳥取教会の松野昭江さん、グレースチャーチの横田映代さんに、多大なお世話をいただきました。ありがとうございました。

あとがき

近況としては、前回の『心に光を』1に掲載した「ドイツ旅行記」を守部喜雅さんがご紹介くださったことがご縁で、クリスチャン新聞にも掲載されることとなりました。また、その後も、いろいろなかたちで、わたしの書いた文章が新聞でも用いられるようになりました。感謝です。

今回の『心に光を』2も、クリスチャンでない方には、お読みになって、とっつきにくい表現もあったかもしれません。でも、何か一つでも、みなさんの心に光を与えることのできることば、表現があったとしたら、この本の目的は果たせたと思っています。

お読みくださったみなさまの上に、神様からの豊かな祝福がありますようお祈り申し上げます。

前川隆一

二〇一九年一月

前川隆一（まえがわ りゅういち）

1960年　京都市に生まれる。

1983年　大阪芸術大学卒業。

1990年　神戸ルーテル神学校卒業。

同年　青谷福音ルーテル教会、赤穂福音ルーテル教会、鳥取福音ルーテル教会、出雲福音ルーテル教会牧師として奉仕。

2014年　青谷福音ルーテル教会に赴任、牧師として奉仕を続けている。

「クリスチャンライフ成長研究会」中国地区世話人。

ルーテルアワー「心に光を」ラジオメッセンジャー。

家族は妻と二人の息子。

著　書　『信じるヒント』1 ～ 10『心に光を』 1 （一粒社）

心に光を　2　　定価（本体 800 円＋税）

2019年 1 月10日　　初版発行

著　者　前　川　隆　一

発行所　一　粒　社

〒351-0101 埼玉県和光市白子 2-15-1-717

TEL (048)465-7496　FAX (048)465-7498

振替 00140-6-35458

乱丁・落丁はお取り替えいたします.　　印刷・SK 印刷

ISBN 978-4-87277-155-8